近世日本の教育遺産群を世界遺産に

多様な学びのかたち

五十嵐敬喜、岩槻邦男、西村幸夫、松浦晃一郎　編著

第一章 「近世日本の教育遺産群」の歴史と概要
近世日本の教育遺産群とはなにか　藤尾隆志…4
近世日本の学習と教育のネットワーク　橋本昭彦…21

第二章 座談会
近世日本の「学び」を世界遺産に
五十嵐敬喜、岩槻邦男、江面嗣人、橋本昭彦、西村幸夫、松浦晃一郎…36

第三章 多様な学びの場と日本の文化
近世日本の学びにみる多様性と自主性　岩槻邦男…54
藩の自治と藩校　儒教をめぐって　五十嵐敬喜…68
近世庶民のリテラシー　小咄から見る江戸の文字環境　大石 学…81

第四章 教育遺産の魅力と世界遺産登録への取り組み
弘道館と偕楽園の魅力　教育遺産の視点から　藤尾隆志…100
近世の学校の原点、足利学校　久保賢史…112
凛とした空間で学ぶ、閑谷学校　大西基久、新井一史、石井 啓…125
近世最大の私塾と学びの町、咸宜園と豆田町　渡邉隆行…138
教育遺産群の建造物と創造的活用　江面嗣人…151
「教育遺産群」をめぐる議論　自由で闊達な学びのかたち　西村幸夫…164

第一章　「近世日本の教育遺産群」の歴史と概要

近世日本の教育遺産群とはなにか

藤尾隆志
水戸市歴史文化財課世界遺産係長

見直される近世日本とそれを支えた教育遺産群

近世の日本といえば、どのような社会をイメージするだろうか。キリスト教を禁じ、諸外国と交易を行わない「鎖国」だろうか。武士が高圧的に民を支配し、その結果一揆が頻発する「身分制社会」だろうか。もしくは閉鎖的な「村社会」だろうか。確かにそういう側面があったのは事実である。

一方で「泰平《たいへい》の御代《みよ》」と呼ばれ、約二六〇年にわたり、大きな戦いも初期や幕末を除けばほぼない社会というのは、世界史的にみても非常に稀有である。また、支配者が諸外国との貿易を管理する「海禁政策」は他国でもみられる事例であることや、民出身の者が力をつけ武士になる身分の移動、そして広範囲な人々の交流など、近世日本に対する見方は大きく変わってきた。

このような近世日本を支えたのが、本書でとりあげる近世日本の教育遺産群である。本稿では、近世日本の歴史と教育遺産群の変遷を概観しながら、教育遺産群の特徴や成果をみていくことにしたい。

足利学校

閑谷学校

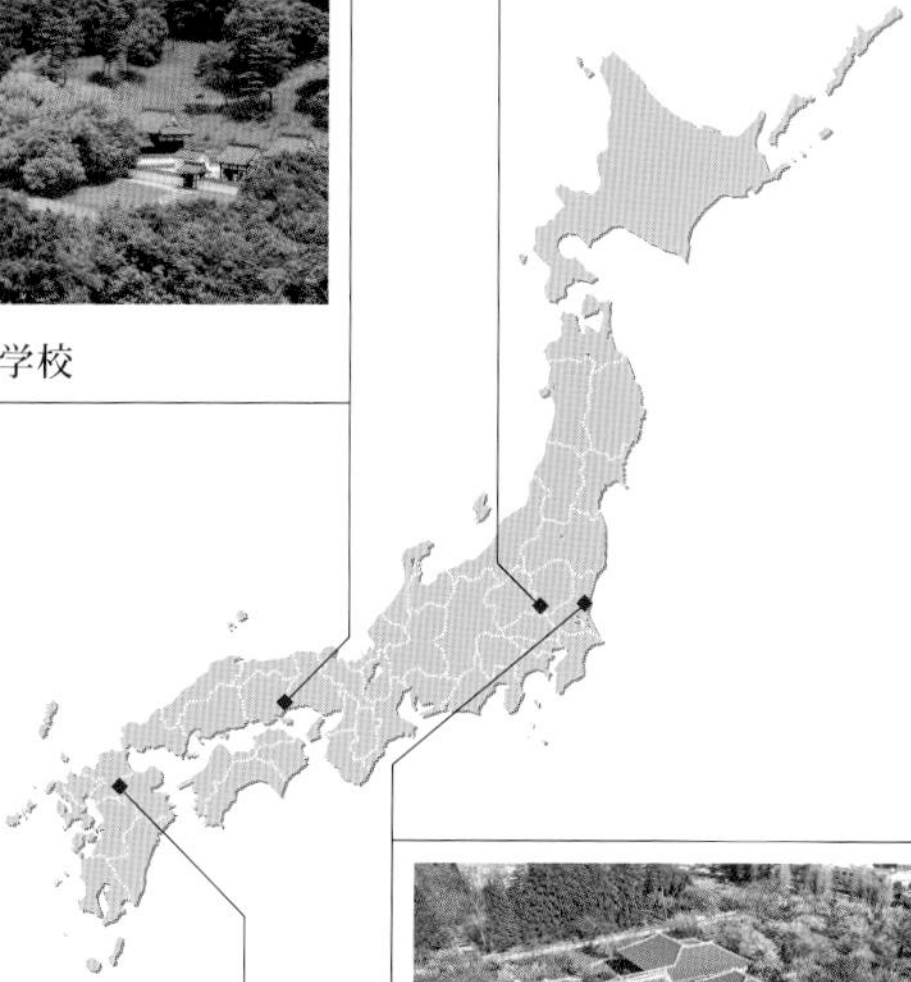

弘道館

咸宜園

偕楽園

豆田町

近世日本の歴史と教育遺産群の変遷

近世社会の到来と教育遺産群の登場

群雄割拠の戦国時代を経て、日本は近世時代を迎える。豊臣秀吉死後、武家の頂点に立ったのが徳川家康である。家康は慶長五（一六〇〇）年の関が原合戦を経て、慶長八（一六〇三）年に征夷大将軍に任ぜられ、江戸に幕府を開いた。しかし、当時は豊臣家ほか有力諸大名が健在で、徳川家は絶対的な存在とはいえなかった。家康は幕府の体制を構築しつつ、息子の秀忠に将軍職を速やかに譲って、徳川家が武家の頂点に立つことを示した。そして、元和元（一六一五）年に大坂夏の陣で豊臣家を滅ぼすと、同年に武家が守るべき法規である『武家諸法度』を発布し、諸大名に徳川家への臣従を誓わせた。

武家諸法度は室町時代の建武式目など先例をもとに作成されている。起草したのは金地院崇伝《こんちいんすうでん》である。家康は崇伝や南光坊天海といった高僧をブレーンとして、彼らの多彩な学識や知識を求めた。家康が重視したものの一つに儒学（儒教）があった。

儒学は古代より中国から日本に入り、中世には禅僧を通して広がった。さらに、近世初期には文禄・慶長の役で捕虜となった朝鮮人儒学者や、明が滅んだ際に来日した朱舜水ら亡命知識人との交流を通して、日本人の儒学理解が格段に向上した。藤原惺窩《せいか》は元僧だが、朝鮮人儒学者から積極的に儒学を学び還俗した。惺窩の門人林羅山《はやしらざん》は、慶長一二（一六〇七）年に家康に登用され、幕府関係者が儒学への理解を深めた。家康九男で尾張藩初代藩主徳川義直は林家に聖堂を寄進し、林家は代々学者の家としての地位を確立する。こうして、儒学（特に朱子学）は近世日本の中心的な学問として根づいていくが、中国・朝鮮・ベトナムなど漢字文化圏の国々が採用した科挙制による人材登用システムは導入されず、人々が学ぶべき学問として導入されたことに特徴がある。

　近世初期に幕府が整備した学校に足利学校がある。足利学校は遅くとも室町時代には存在し、江戸幕府が創設したわけではないが、近世には幕府が学校領を寄進し、大成殿や三門の造営を行って、実質的な官立系学校として存続した。多くの学者が、儒学を含む貴重な漢籍を求めて足利学校に足を運んだ。

　学を必要としたのは武士だけではなく、民も同様である。幕府や諸大名は家臣を城下や陣屋に集住させ、領民自身に村政を執り行わせる村請制を導入した。村と城下間の意思疎通は文書を中心に行ったため、領民は多くの知識とリテラシー（文書作成・読解能力）を身につける必要があった。町も同様で、三都（江戸・大坂・京都）をはじめ各地の城下の町人には自治能力が求められた。町は大量の人と物そして情報が行き交い、大規模な経済圏を形成した。商売を行うためにも知識とリテラシーが不可欠であった。

　公文書において、幕府は「御家流《おいえりゅう》（青蓮院流《しょうれんいんりゅう》）」という書流を公用書体として導入し、全国に広まった。そのため、日本の津々浦々、たとえ方言の違いで相手の言葉が理解できなくとも、文字での意思疎通が可能となった。こうして、身分に関係なくリテラシー修得の気運が高まり、多くの人々が学習意欲を高めた。さらに、書肆《しょし》（出版商）が京都、やがて大坂と江戸にも興り、身分に関係なく本を手に取る機会が増加すると、人々は多くの書籍を求め、簡単に入手できない書籍などは写本をして手元に残すようになった。

　諸藩でも学校を設ける動きが始まった。岡山藩では、寛文八（一六六八）年、領内郡中に領民が学ぶために一二三か所の手習所を設置した。手習所はのちに整理され、寛文一〇（一六七〇）年に閑谷学校が創設された。閑谷学校は庶民教育を中心としながら、武士や他地域の子弟も受け入れ、地域

足利学校 学校門

足利学校 孔子廟（大成殿）

閑谷学校 講堂（右）と小斎

閑谷学校 校門（鶴鳴門）

の人々に支えられながら明治期まで存続した。さらに、寛文九（一六六九）年に藩士を対象とした岡山藩学校を創設して、領民・藩士両方の人材育成に力を入れた。

水戸藩では、第二代藩主徳川光圀が、歴史書『大日本史』編纂所として江戸と水戸に彰考館《しょうこうかん》を創設し（江戸彰考館　一六七二年、水戸彰考館　一六九八年）、修史作業を行うとともに、藩校としての役割を有した。

在野の学者も私塾（学問塾）を開き、寛永一五（一六三八）年頃に中江藤樹の藤樹書院、寛文二（一六六二）年に伊藤仁斎の古義堂などが誕生し、多くの学者を輩出した。

花開く文化と幕藩改革

当初、幕府は諸大名に厳しい姿勢で臨み、強権的な政治を行った（武断政治）。このため、有力諸大名はもとより、徳川家一門や譜代大名のなかにも取り潰しになった家が出た。しかし、その結果仕え先がない浪人が増加して、社会問題となった。さらに、武士には戦うことよりも、高い行政能力が求められるようになった。そのため、幕府は儒学に基づく仁政思想による新しい政治手法（文治政治）を取り入れ、「公儀」として公正な政治を執り行う必要があった。

元禄三（一六九〇）年、林家の聖堂が湯島に移されて、湯島聖堂と呼ばれるようになった。その後湯島聖堂は幕府直轄となり、翌元禄四年に林家第三代林鳳岡《はやしほうこう》が五代将軍徳川綱吉から大学頭を任命されて、代々大学頭を世襲した。

市場経済の発展にともない、町人を中心に富を蓄える人々が登場し、文芸・学問・芸術の各分野で活躍する人々が現れた。一七世紀後半から一八世紀前半にかけて京や大坂の町人を中心に生まれた文化を元禄文化と呼ぶが、草子、俳諧書、芸事のテキストなどが出版され、諸芸能を嗜む人口が増加した。さらに、古典文学、往来物、漢籍の和刻本、経書註釈書などが学校のテキストに取り入れられ、教育・文化両面の普及に大きく貢献した。

一方で年貢などの税収が伸び悩み、幕府や諸藩は慢性的な財政不足に陥った。八代将軍徳川吉宗は「享保の改革」と呼ばれる幕政改革を断行したが、教育・学問に関する施策も少なくない。享保七（一七二二）年、幕府は道徳普及を目的とした『六諭衍義大意《りくゆえんぎたいい》』を官刻し、諸国に頒布した。『六諭衍義大意』は庶民用のテキストとして、各地の手習塾（寺子屋）で使用された。また、キリスト教に関係なければ漢訳した西洋書籍を輸入することを認め、洋学と呼ばれる新たな学問が誕生することとなった。

諸藩も改革を行うため、有能な人材を育成する必要に迫られた。そこで、萩藩明倫館（一七一九年）、仙台藩養賢堂《ようけんどう》（一七三六年）、熊本藩時習館（一七五五年）など、各地で藩校が創設された。

学校を創る動きは民間でも活発で、享保二（一七一七）年、摂津国平野郷の有力者である土橋友直らによって含翠堂《がんすいどう》が創設された。創設後も地元の有力者が援助を続け、専任の教師を配置した。また、享保一一（一七二六）年には、大坂の豪商が設立した懐徳堂《かいとくどう》を幕府は官許の学問所として保護した。これら郷校は主に町人を対象として、実学を重視した。

さらに、近世中期ごろから儒学や仏教が取り入れられる前の日本古典や歴史を学ぼうとする国学が誕生し、宝暦八（一七五八）年に創設された本居宣長の鈴の屋など、国学塾が誕生した。儒学では朱子学派のほか、陽明学派《ようめいがくは》や徂徠学派《そらいがくは》、折衷学派《せっちゅうがくは》など様々な学派が誕生し、多くの学問が隆盛した。

咸宜園　秋風庵の外観と内観

弘道館　至善堂の外観と内観

幕藩体制の立て直しと近代への予感

寛政元（一七八九）年、吉宗の孫で老中に就任した松平定信が幕政改革を開始した（「寛政の改革」）。当時浅間山の噴火といった天災や飢饉が続き、農村は荒廃し、町の治安も悪化していた。定信は農村の復興と都市政策に乗り出すとともに、武士や民衆の教化政策にも力を入れた。

寛政二（一七九〇）年、朱子学派が正学と定められ（「寛政異学の禁」）、同九（一七九七）年、林家の家塾と聖堂を収公して幕府の最高学府としての昌平坂学問所を創設した。幕府直参の旗本・御家人だけでなく、藩士・郷士・浪人の聴講・入門を許可するとともに、公開講釈により庶民教化を行った。

定信は寛政五（一七九三）年に老中を解任されるが、定信の路線が当面継続された。一八世紀後半には諸外国の船が来航し、海防や欧米諸国の情勢を知る上でも洋学を積極的に吸収すべき必要に迫られた。そこで、洋書の翻訳などを行う蛮書和解御用《ばんしょわげごよう》を創設した。

各藩においても政治改革の重要施策として藩校の創設や拡充が行われた。一八世紀後半から一九世紀初期にかけて設立された主な藩校としては、尾張藩の明倫堂（一七八三年）、庄内藩の致道館《ちどうかん》（一八〇五年）などが挙げられる。

一八世紀後半以降、私塾・手習塾が増加した。このころに創設された代表的な私塾として、文化一四（一八一七）年に廣瀬淡窓が創設した豊後日田の咸宜園や、文政八（一八二五）年に藤沢東畡《とうがい》の大坂の泊園書院《はくえんしょいん》、池田草庵《そうあん》の但馬の青谿書院《せいけいしょいん》（一八四七年）などが挙げられる。また、儒学者菅茶山《かんちゃざん》は、備後神辺《かんなべ》に私塾黄葉夕陽村舎《こうようせきようそんしゃ》を設け、のちに福山藩の郷校となり廉塾《れんじゅく》と改称した。

洋学塾も開かれ、文政七（一八二四）年にドイツ人シーボルトが創設した鳴滝塾や、天保九（一八三八）年に緒方洪庵が創設した適塾などが知られ、在野でも洋学が広まるとともに、国内の医学が発展する契機となった。

手習塾（寺子屋）では、村の有力者や武士の浪人が師匠となって、『庭訓往来』や教訓物の『実語教』などをテキストに用いて民衆の識字率が高まるとともに、教育熱がさらに高まった。師匠の中には女性も含まれており、女性も積極的に学ぶ機会を得た。

新しい時代の到来と近世日本の教育遺産群の終焉

嘉永六（一八五三）年、アメリカ船サスケハナ号が浦賀に姿を現し、提督ペリーは日本の開国を求めた。以後日本は開国と攘夷をめぐって激動の時代へ突入して、今まで以上に優秀な人材を育てる必要に迫られた。

幕府では、医学所や蕃書調所《ばんしょしらべしょ》（もと蛮書和解御用。のち洋書調所→開成所と改称）といった西洋を研究する機関のほか、講武所や軍艦操練所といった西洋流の武芸や技術を学ぶ施設が誕生した。これら施設で勤めた者の中には、昌平坂学問所出身者もおり、彼らは朱子学を基盤としながら、洋学を吸収することで幕末の問題に取り組んだ。

諸藩でも、儒学のみならず様々な学問を学ぶ藩校が増加した。特に、水戸藩の弘道館（一八四一年）は、国内最大の敷地面積を持ち、施設や組織、そして制度が体系化され、洋学などの実学や武芸修練を採り入れた総合大学のような機能を有した。弘道館は藩校の到達点の一つといえる存在で、鳥取藩の尚徳館《しょうとくかん》、松代藩の文武学校、福山藩の誠之館《せいしかん》など、他藩の藩校運営に影響を与えた。

さらに、佐久間象山《しょうざん》（佐久間象山塾）、勝海舟（海軍塾）、吉田松陰（松下村塾）など直接・間接的に中央政局にかかわった人物が私塾を開いた。

このような多くの学校が、幕末の動乱期のみならず、明治以降の新しい時代を担う多くの人材を育てることになった。

庄内藩の藩校・致道館（山形県鶴岡市）は孔子を祀る聖廟、講堂、表御門など、東北で唯一建造物がまとまって現存する。敷地は国の史跡に指定されている

仙台藩の学問所・有備館（宮城県大崎市）は家臣岩出山伊達家の郷校。庭園とともに国の史跡および名勝に指定されている

廉塾（広島県福山市）は儒学者の菅茶山が1775年に私塾として開いた。数千人にのぼる塾生を輩出し、一時期は頼山陽も塾頭として在籍した。敷地は国の特別史跡

松代藩の藩校・文武学校（長野市）は近代学校の先駆的性格を有し、明治以降も教育施設として活用された。建設当時の建物や藩校敷地が現存する国の史跡

幕府が崩壊して明治に入ると、明治政府は欧米諸国の制度をもとにした近代の教育制度を導入した。しかし、近世の学校が姿を消したわけではなく、政府は近世の学校を公的教育機関に組み入れた。萩藩明倫館、水戸藩弘道館、松代藩文武学校など、旧藩校敷地内にそのまま近代の学校施設が置かれた事例も多い。また、教師の多くは私塾や藩校などで学び、高度な内容の教材を理解できる人材があてられた。近世日本の教育遺産群は、近代教育への橋渡しを行った。

教育遺産群の分類

本章では、教育遺産群を分類しながら概観していきたい。教育遺産群は規模も教える内容も異なるものの、「官立(官営)学校」、「藩校」、「郷校(郷学)」、「私塾・手習塾(寺子屋)」に大別できる。

官立(官営)学校は、幕府が創設運営する学校で、昌平坂学問所や足利学校が著名である。幕府直轄地にも複数の学校が置かれたが、特に両者は群を抜いた規模であり、大成殿(孔子廟)が置かれ、杏檀門や入徳門といった諸門が配置された。また、多くの学生が学ぶことができるように大型の講堂(広間型講堂)が建てられた。

藩校は藩が創設し、入学者は藩士を対象にする学校が多いが、岡山藩学校や熊本藩時習館のように、優秀な者は領民でも学ぶ機会を得た。藩の規模により藩校の規模は異なるが、水戸藩や岡山藩のような大藩になると、聖廟を整えて、学ぶための講堂が設けられた。さらに、藩主が藩校を見学するための御部屋や御殿が設けられた。

最終的に設立された藩校数は、改称・分離・合併などを含めると七五〇校に上り、藩校は藩に必要不可欠な存在だった。

郷校（郷学）は、主に領民を対象として創られた学校である。さらに「①領主が家臣のために設けた学校」、「②領主が領民のために設けた学校」、「③民間有志で設けた学校」に分類できる。「①領主が家臣のために設けた学校」は藩校に準ずる存在で、仙台藩伊達家一門の岩出山伊達家が家中子弟の郷校として整備した有備館が代表例である。「②領主が領民のために設けた学校」の代表例は閑谷学校であり、「③民間有志で設けた学校」の代表例として、含翠堂や懐徳堂が挙げられる。

ほかにも、伊勢崎藩の郷校は領民が運営しながら、藩校の教官を派遣して定例講釈を行わせた。幕府領であった美作久世《みまさかくせ》では代官の早川正紀《まさとし》と地元の大庄屋たちが協力して典学館《てんがくかん》を創設した。両者は官民連携で誕生した郷校である。廉塾のように私塾から藩の郷校に移行する学校もあった。

郷校は設置主体も規模も様々だが、総じて領主が設置した郷校の規模が大きかった。特に閑谷学校は聖廟と広間型講堂を備え、大藩の藩校に並ぶ規模を誇り、近世日本を代表する郷校である。

私塾・手習塾（寺子屋）を運営したのは、主に在野の人々である。近世には町人や下級武士出身の学者や知識人が多く誕生し、彼らの多くが私塾を設置して、身分にかかわらず様々な人々を受け入れながら、研究と教育普及に当たった。手習塾では、町村の有力者や寺社関係者、そして浪人が師匠となり、人々に読み書き・そろばんなどを教えた。

私塾と手習塾を明確に線引きすることは難しいが、手習塾が初歩的な学びを行う場であり、私塾は学問塾として高等な学問を学ぶ場だったといえる。特に咸宜園は、全国から身分や地域を越えて多くの門下生が集う、近世最大規模の私塾といえた。咸宜園のように門下生の数が多く、遠方から入学する者がいる規模の大きな私塾では、校舎や門下生の寮舎が整備された。『日本教育史資料』（一八九〇年）には一四九三校の私塾が記録されているが、実際はその数倍に上ると考えられる。

今見直す近世日本の教育遺産群

近世日本の教育遺産群で多くの人々が学び、社会で活躍する優秀な指導者や人材を育てた。リテラシーが向上することで人々は文書を正しく理解し、支配機構や自治組織が円滑に運営されることで経済や産業が発展し、近世日本社会の安定と発展につながった。それにともない、人々が一層学習意欲を高めると、学習環境がさらに整備され、社会・文化が発展することになった。

地域に関係なく人々が学びを求めて移動することで、文化人や学者同士の交流が深まった。足利学校や昌平坂学問所には、全国から多くの文化人や学者が集まった。閑谷学校や弘道館の名声を聞き、多くの人々が閑谷や水戸に訪れた。咸宜園で学んだ門下生が帰郷し、地元の人々に自らが学んだことを教えた。このように様々な学問と知識が全国に伝播して、高度な知的ネットワークが構築された。さらに、閑谷学校や弘道館は他の学校の運営モデルとなり、咸宜園独自の教育システムが他の私塾や藩校にも導入されるといった、他の学校の発展につながった。

当時来日した外国人が記した日記や紀行文には、誇張もあるだろうが、日本人の礼儀正しさや教養の深さを好意的に記すものが多い。身分・年齢・性別に関係なく基礎教養を身につけ、礼節と規範を重視する姿勢が社会で共有されるという、近世日本の教育の成果といえるだろう。

残念ながら、二一世紀となった今でも、満足に教育を受けられない人々がいるのは事実であり、様々な立場の人々が学びの機会を得ることは現在でも世界の大きな課題である。

確かに、近世日本は身分制社会であり、身分の壁は存在した。しかし、様々な場面でその壁が薄くなったことも事実である。学びの場もその一つであり、支配者層も民衆も学ぶ機会をもち、時に身分に関係なく机を並べて、様々な学問を学んだ。近世日本の教育遺産群で行われた多様な学びと、立場を超えてともに学ぶ姿勢は、現代の我々にも大きな示唆を与えるものになるだろう。

近世日本の教育遺産群は近代には役割を終え、多くの建物も姿を消していった。そのなかで、足利学校・閑谷学校・咸宜園・弘道館は各分類の代表的存在であるとともに、保存状況も比較的良好である。また、弘道館と対をなす施設である偕楽園や、咸宜園を支えた豆田町も当時の姿をよく残しており、あわせて提案資産として「近世日本の教育遺産群」として世界遺産を目指している。

本書では、近世日本の学びの様子や各資産の概要、そして教育遺産群が世界遺産にふさわしいかなど、多角的な視点からとりあげている。本書を通して近世日本の教育遺産群に興味関心を高める機会となれば幸いである。

参考文献
教育遺産世界遺産登録推進協議会編『近世日本の教育遺産群　世界遺産暫定一覧表記載資産候補提案書』水戸市・足利市・備前市・日田市、二〇二〇年
青山忠正『明治維新』吉川弘文館、二〇一二年
藤田覚『近世の三大改革』山川出版社、二〇〇二年

近世日本の学習と教育のネットワーク

橋本昭彦
国立教育政策研究所総括研究官

近世日本の教育は何が傑出しているか

近世日本は、大開発の時代だったと言われている。江戸時代初期（一六〇三年）と享保改革期（一七一六〜一七三六年）を比較すると、ほぼ一〇〇年の間に、推計人口で約一千万人だったものが三倍の三千万人を超え、耕地面積は二〇六万町歩から二九七万町歩に増えたことがわかる。また、その発展の背景には人間の交流の活発化があり、中世社会では血縁や地縁といった狭い郷村や町の中での縁が主だったのに対して、江戸時代の最初の一〇〇年ほどで文書の普及による遠隔地どうしのコミュニケーションが日本中に行き渡ったという大きな変化があったと言われる【註1】。

「文書社会」であったと言われるように、主従間の命令・指示や伺・願、権利や義務の取り決めを記した証文、記録や信書など様々な形の文書が、政治・産業・宗教・学術・文化・娯楽・家政などの多様なジャンルで作成された。そうした文書社会は人々の学びによって支えられたが、大開発の時代が進むとともに人々の学びへの需要はますます高まった。高まる学習需要に応えて、教育の仕組みは高度化する必要に迫られたが、そのグレードアップを可能にしたのが、本稿で紹介する学習と教育のネットワーク化なのであった。

文字通りの解釈で言えば、網目状につながって機能するものがネットワークである。学習や教育のネットワークも、現代の教育でも様々に見られる。小は、クラスの子供どうしの関係があるし、大は全国の教員の研究集会であったり、世界の教育大臣の会合であったり、様々なものがある。いかなる例においても、つながることで卓越した機能を発揮できるところにネットワークの意義がある。

近世日本の教育は、よく言われるように近代日本の「成功」を準備したことだけが傑出しているのではない。近代の西洋諸国のように国の教育官庁や宗教的な権威が組織的に教育制度を整えたわけでもないし、中華文明圏の科挙制度や現代の全国学力テストのような試験制度に牽引されることもなかった。それにもかかわらず、近世日本では、国中に多様な学習分野・学習形態へのニーズが発生して、そのニーズを満たすために様々な地域や社会階層に対応した教育環境を創る社会全体の方向性が生まれた。それが傑出した価値なのであり、いわば「社会総がかり」での教育環境の創出を可能にしたものこそは、以下にみる学習と教育のネットワークなのである。

「筆子塚」が示す地域の学習ネットワーク

まずは、現在遺されている史跡や建造物などから見えてくる近世の学習・教育のネットワークをいくつか見てみよう。

亡き師匠を偲んで各地で建てられた石造物に「筆子塚」というものがある。筆塚・師匠墓・報恩碑と呼び名も色々、形状も様々だという。バイクで各地を実地踏査した千葉県の元高校教員の川崎喜久男氏によって、明治期に文部省がまとめた全国調査（『日本教育史資料』）の「私塾表」「寺子屋表」に記載のない師匠の筆子塚も数多く発見されて、学界の話題を呼んだ。千葉県の場合、この両表に記載された師匠の数はそれぞれ五九人と一一三人に止まるが、川崎氏は約三三五〇基の筆子塚を見つけた。塚や碑は、建立主の名や員数が記されるもの、「筆子中」「弟子中」「門人一同」などと刻まれたものなど様々である。

大事なことは筆子塚のあるところに、学習者のネットワークがあることである。共通の師をもつ弟子たちは、読み書きや学問を授かり礼儀を身につけるほか、人生相談や生活支援などの濃厚で継続的なつながりを師弟ぐるみで共有していたと考えられる。そして、学舎を離れても師匠の没後に至っても、一同で資金や労役を分担しあって構造物を建てるほどに組織化されていた。

川崎氏は茨城県内でも一二五九基の筆子塚を発見したが、それらが書き込まれた地図［24頁］には、日本各地に存在した教師と学習者のネットワークが可視化されている。

出身圏で見る教育者と学習者のネットワーク

次に、遠隔の地域間にまたがるネットワークを紹介する。教育者については、そもそも知識層が地域間を移動する存在だったということを知る必要がある。中世の学者が割拠する大名らの領国を渡り歩く、遊歴傾向を持っていたことは大戸安弘氏が明らかにしている。近世に入っても、村々で庶民に直接の教えを授ける知識人であった僧侶の場合、僧になろうと京や江戸の有力な学林（僧になるための学問をする機関。檀林、学寮とも）を目指して、地方から農民の子弟などが遊学に出ている実態を梶井一暁氏が描いている。

茨城県内の「筆子塚分布図」

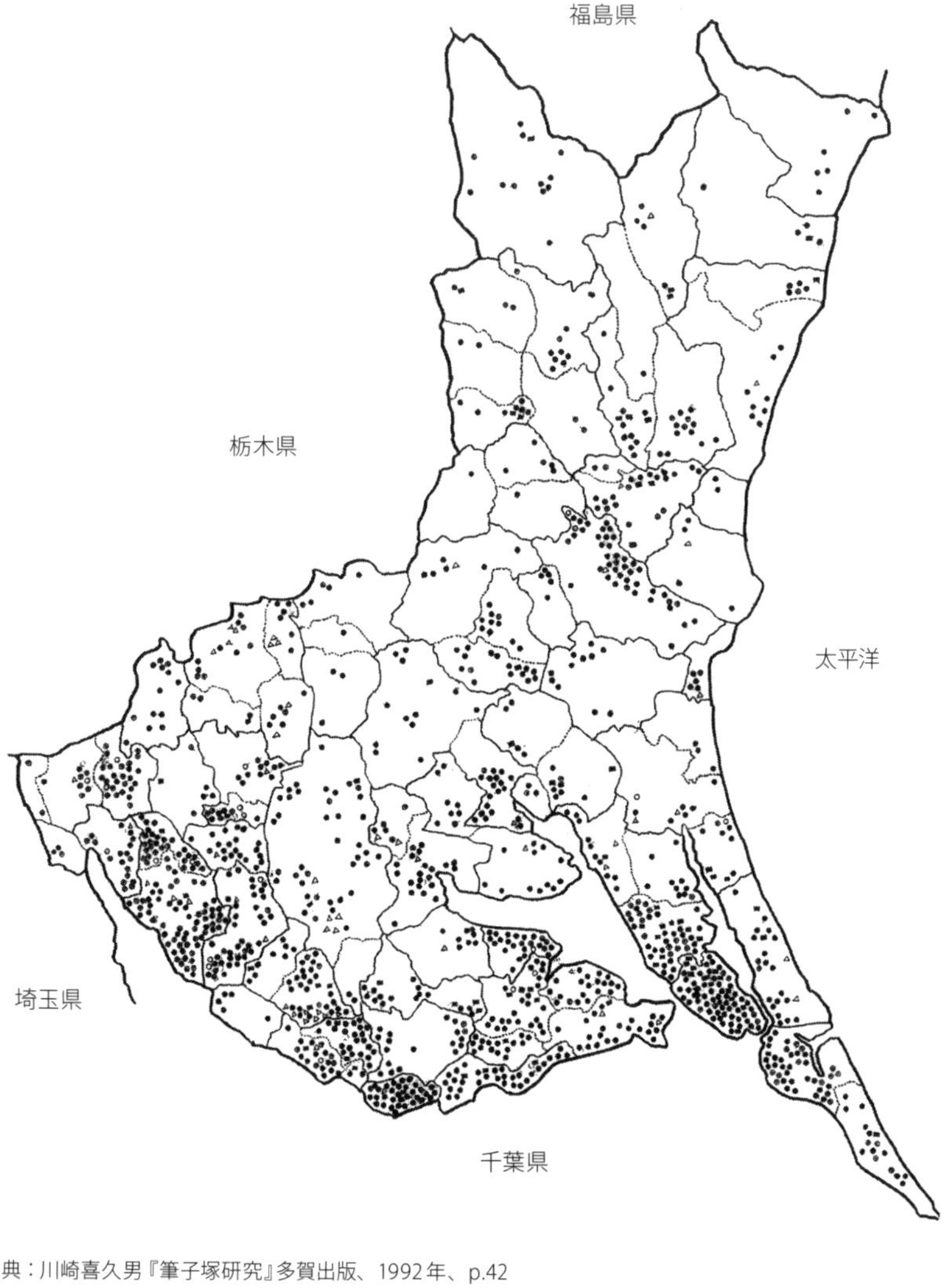

出典：川崎喜久男『筆子塚研究』多賀出版、1992年、p.42

足利学校は仏教を学ぶ学校ではなかったが、中世の禅寺の建築様式と禅僧の学修形態を借用して「学校」の体裁を整えた。校長（庠主《しょうしゅ》）の在り方までも禅僧の修行過程を借用したので、庠主はいずれも各地を遊歴して禅宗の学徳と禅僧としての経験を積むという経歴の持ち主たちであった。例えば、徳川家康に取り立てられて関ヶ原の合戦の際にも軍師役を務めた第九世庠主の閑室元佶《かんしつげんきつ》は、肥前生まれで京・岩倉で修学を積んで足利学校に来ているし、第一〇世庠主の龍派禅珠《りゅうはぜんしゅ》は、武蔵生まれで鎌倉の円覚寺で修行ののち故郷の芝村（現・埼玉県川口市）の長徳寺の住持に就き、家康の厚遇を得て寺勢を盛んにした後、足利学校の庠主を命ぜられた。足利学校の歴代庠主は、様々な地域から出ていて、土地を替えながら多様な経験を経て庠主に任命されている。

学習者の出身圏については、私塾・手習塾の門人帳や、学校の名簿・日誌などの資料が有用な情報源となる。門人帳（門人録、入門帳、入門簿とも）は、師匠が入門者の個人情報を把握するために作成していた。門人帳を見ると、入門者の氏名・出身・肩書・経歴のほか、入門の日付や紹介者（口入人、取次人とも）、離塾後の進路なども記録されている場合もある。日田の私塾・咸宜園の「入門簿」には、同塾入門者の出身地が記されており、記載のある約四八〇〇人の入門者が、九州北部を中心として中部地方以西の広範な地域から来学していることがわかる。

出身圏の広さの意味について、ここでは二点だけ指摘しておきたい。まず入門者が多いところでは地域ぐるみでリピーターとなって入門者を送り出していた可能性が大きいことである。咸宜園の例ではないが、梶井一暁氏による調査で明らかになったわかりやすい事例がある。安芸国賀茂郡の豪農・土居家の三男から出身した僧侶・詮廓が、一六歳の安永九（一七八〇）年、江戸・増上寺に入って檀林に学んだのであるが、詮廓の書簡や帰省の機会などを通じて、修学の様子や僧侶就職の経緯が実家の親族に伝わっていた。その後、郷里の親族や縁者が江戸の詮廓を頼って僧職の道に進んだ事実が明らかにされている。そもそも檀林にせよ、私塾にせよ、入門に際して紹介者を間に立てる慣例があることじたい、学習者側のネットワークを前提にした教育の仕組みであったことの表れであるが、右のような事例は一般に広く見られたと考えられる。

政府が設立や運営に関与した学校に目を転じれば、江戸幕府の昌平坂学問所の書生寮（諸藩の武士や浪人などのための学寮）は、全国からの来校者を集める存在であった。「書生寮姓名簿」（東京都立中央図書館所蔵）によれば、幕末の弘化三（一八四六）年から慶応元（一八六五）年までの書生寮生七七七人の出身藩の内訳は、多い順に、佐賀が四〇、仙台が二五、鹿児島が二〇、高松が一八、加賀が一六、などと続き、「一〇人以上」を送り込んだのは一三藩（家）とされている。藩によっては

足利学校の「庠主出身地図」

出典：足利学校HPをもとに作成（出身地未詳の一世、四世、一三世を除く）

書生寮への遊学が見られないところも多いので、多人数を送り込む藩では、学ぶ者たちは何らかの政策や共通の学習ニーズで結び付いていたことが考えられる。

学校の数だけ師匠と門人、門人どうしのコミュニティがあり、その活動を支え、見守る人々を含めた交流圏があった。近世の学校の一つ一つが、人的ネットワークの上に成り立っていたのである。

学校間のネットワーク

次に学校どうしの影響関係を見る。「学校」が日本に一つしかないころは、何々学校と名乗る必要がなかった。他との区別の必要が全くないから、足利学校の学校門の扁額は「学校」としか書かれていない。近世になって、他に閑谷学校などが知られはじめても、足利学校の日記には、自校を「学校」と書いたり「足利学校」と書いたりするが、後者の場合も「足利」の部分を小さく書くことも往々にして見られるのである。

足利学校の外観は、現代人の我々には寺院にしか見えない。それもそのはずで、中世には儒学の知識は禅僧によって担われていたため、足利学校では建物はおろか、教師も僧服であったし、学ぶ者も僧形にならった。すでに日本にあったモノを元にしつつ、大陸の「学校」のありようを研究して孔子廟部分と学舎部分を配置した学校のモデルを作りあげ、それが閑谷学校などの近世の学校に伝播したと考えられる。

学校の施設以外で地域間の影響関係が見られたのが、教育方法・学習方法であった。例えば、咸宜園では学習者の実力をよく加味した効果的な教育方法を採用していたが、その方式は前述のような人的なネットワークにのって多くの地域に影響を与えたと考えられる。そのような影響を受けた、いわゆる咸宜園の「系譜塾」は、明治になってから創設されたものも含めて、九州では約七〇近くあるという。中国地方や四国地方の系譜塾にも、三奪法と月旦評に基づいた実力主義や漢詩重視など、咸宜園教育の特徴が見られる塾が二〇近くも確認できるとする研究もある【註2】。私塾の出身者は郷里に帰ったり、他地方に赴いたり、それぞれの生活に入っても出身塾の長所や美風を忘れずに、次世代の教育を構築する担い手となっていたことがわかる。

学校間の影響関係は、藩校などの公的な学校作りにも見られる。その動きはすでに一八世紀から明らかになっており、熊本藩校における官僚養成と人材選抜のしくみ、地租改革・刑法改革・育児・思想風俗統制などの政策研究は、他藩に大きな影響を与えたことが様々な研究から明らかになっている。隣の佐賀藩の儒者であった古賀穀堂が文化三（一八〇六）年に藩主に提出した「学政管見」では熊本藩の政策を紹介しつつ、藩校改革を通じた藩政改革を提案している。

また、幕末の水戸藩・弘道館の在り方からも、諸藩校がお互いに影響を与えながら発達してきた歴史を集約的に見ることができる。即ち、最大級の規模と施設配置、教育内容・方法の多様さなどは諸国で培われてきたノウハウを英明な藩主・徳川斉昭の構想のもとに組み上げたものと見ることができる。他方で、弘道館自身が他藩の藩校改革や藩校設置に影響を及ぼした例も多く知られており、藩校どうしが共鳴しあって発展してきたことを例証しているといえる。

ネットワークの存在を可能にしたもの

これまでに見たような「社会総がかり」ともいえる学習・教育のネットワークは、いかなる社会的条件に支えられていたのであろうか。いくつかの視点から考えてみたい。

学びの需要を生む様々な要素

本書の各論考で言及されるように、近世日本社会には全国共通の学習需要が生まれる要素がいくつもあった。幕藩体制の安定化による文書量の増大が基本にあって、仕事や暮らしに必要な品物や地名・人名の表記、経済的・行政的な文書の様式、書簡文の決まり文句、文書に採用された書体の「御家流」、計算や描画の能力、俳諧や詩文の素養など、あらゆる生活場面での読み書き算の能力が重宝された。現代ならコピー機を使うように写本をする人が増え、印刷・出版も盛んになって、供給がさらに需要を生む状況であった。

多様な学校の設立主体

読み書きの初歩こそ家庭で行うこともあったが、広義の学校といえる教育施設には多様なものがあった。学校の種類については、普通の日本教育史の本では、藩校・私塾・手習塾(寺子屋)という順序で登場する。何か進学系統や学習水準の上下を示すように受け止められるかもしれない。しかし、歴史に登場した順番や数量的な普及の度合いを考えると、逆順のほうが意味は通る。

ここで注目しておきたいことは、こうした近世の学校の多くは民間の設立主体によるものであったということである。ことに私塾と手習塾では、師匠個人が設立主体の圧倒的多数を占めていたとみられる。政府が上から命令して普及させた制度ではない点と、学習者のニーズに応えようとして開設された場合が多い点で、近世日本の学校は国内外の近代社会の学校とは質的に異なる。また、藩が設置する藩校で家臣やその子弟に対して修学を義務づける動きが見られたことも、国民皆学の義務教育制度とは原理的に違うものであって、現代でいえば企業内教育に近い性格の学校であった。

学校情報の拡散

藩や幕府といった政府は、学校の設立主体としては圧倒的に少数勢力であったといえるが、政府の関与は、教育や学問を施策のうちに繰り込んだことともに、全国的に儒者（教師）という就職市場を形成させたことで、学校の存在が社会的に大きく公認される契機を作ったのである。

学校が政府による政策の対象となったことで、学校や教育政策（当時の言葉で言うと「学政」）の在り方についての情報収集が盛んになった。各藩・各地域の学校・学政の好事例の情報が盛んに流通して、例えば、「学制彙集」という事例集が幕府の儒者塩谷宕陰《しおのやとういん》によって編集されているが、同書は福井藩の橋本左内が筆写の許しを請うなど幕末の諸藩からの注目を集め、「学制類集」「諸藩学制」「列

近世の学校種と校数

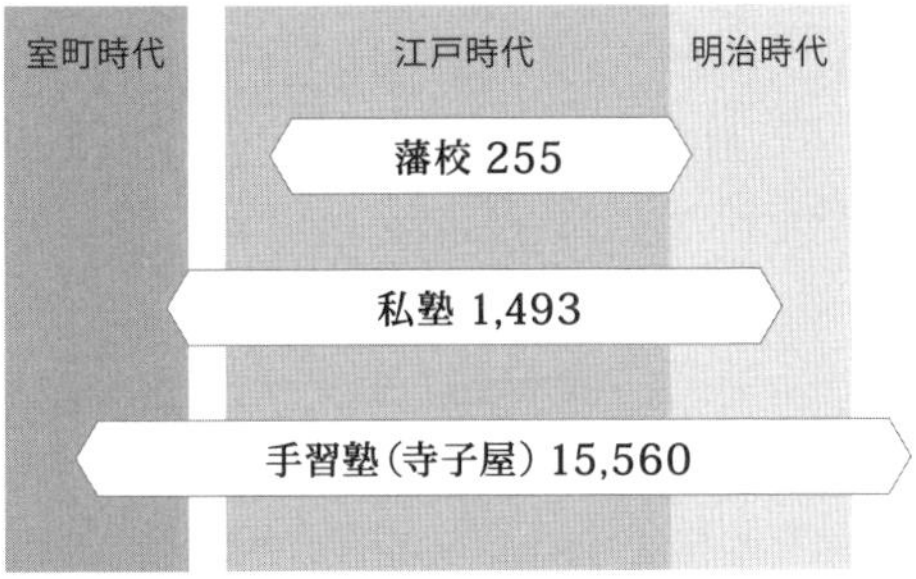

藩校・私塾・手習塾のおよその存続期間と数量を示す。期間は近世前後をも含め、数量は文部省の『日本教育史資料』掲載の校数を参考にした

藩学制」などの異名のものも含めて多数の写本が出回っている【註3】。

学習者の側でも、どのような学校が、どこにどれだけあるかという情報が求められ、印刷物での情報提供が行われた。手軽な物では一枚物の「師匠番付」のような刷り物が発行されたし、江戸市中では『江戸当時諸家人名録』（一八一五年）や、『安政文雅人名録』（一八六〇年）、『広益諸家人名録』（一八六一年）などが刊行され、それぞれ以呂波順に数百名の師匠の情報を掲載した。類書は他の地方でも見られ、師匠の教授科目や居住地域など、修学希望者の求める情報を提供する便利な冊子となっている。こうして、学校の設立主体がつぎつぎと現れたことや、学校情報が流通していたことが学習・教育のネットワークを形成する推進力となった。

「蔵書」という学習インフラ

書籍が稀少品であった古代・中世の流れを汲んで、足利学校などは教育施設としての最盛期が過ぎた近世に至っても、貴重書の宝庫としての書籍閲覧などの需要に応えていた。現在、国宝や重要文化財に指定されている宋代の漢籍は、中世に上杉氏・北条氏・長尾氏らの支援のもとで収集・保管された貴重書であった。一時は各地に散逸したが、徳川の世になって幕府の庇護を受けてコレクションを取り戻した。この蔵書が、時に各地から有識者を引きつけ、時に江戸などからの上命による書籍借覧の要望に応える原資となった。

近世社会は蔵書家・貸本屋・蔵書の家などが庶民を含めた読書層への情報提供に貢献していた【註4】。日田・豆田町のような「学園都市」でも、こうした学習インフラが随所にあるからこそ、咸宜園のような塾の入門者たちが主体的に学ぶことを支援する学習ネットワークを形成することができた。

ネットワークがもたらした成果

近世日本の教育は、「社会総がかり」ともいえる教育・学習のネットワークの中で育まれ、「身分・年齢・地域を超えた主体的な学びの場」「地域と共生する場」【註5】を展開させることができた。特に私塾では儒学のみならず、洋学、算学、医学、兵学、国学、画学、歌学などの様々な分野の多様な内容が教えられ、ニーズを抱えた入門者が主体的に学ぶ場となっていた。藩校・郷校などでは、より組織的・持続的な学校経営がなされ、いっそうの公共性を持つ学校として認知されていた。

主体的で多様な学習への需要に教育が応えて持続的な学習を支え、学習が成果を生むとその成果

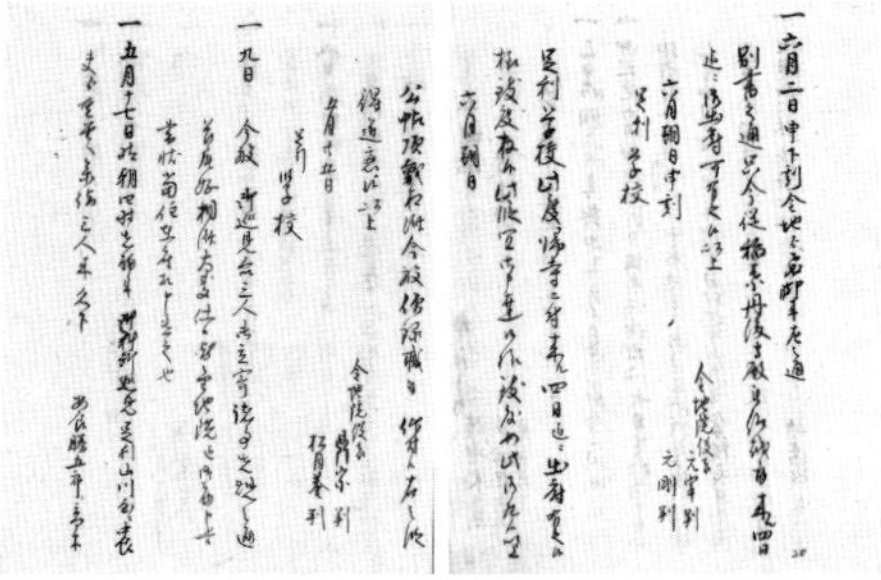

『足利学校記録』にみる「学校」表記

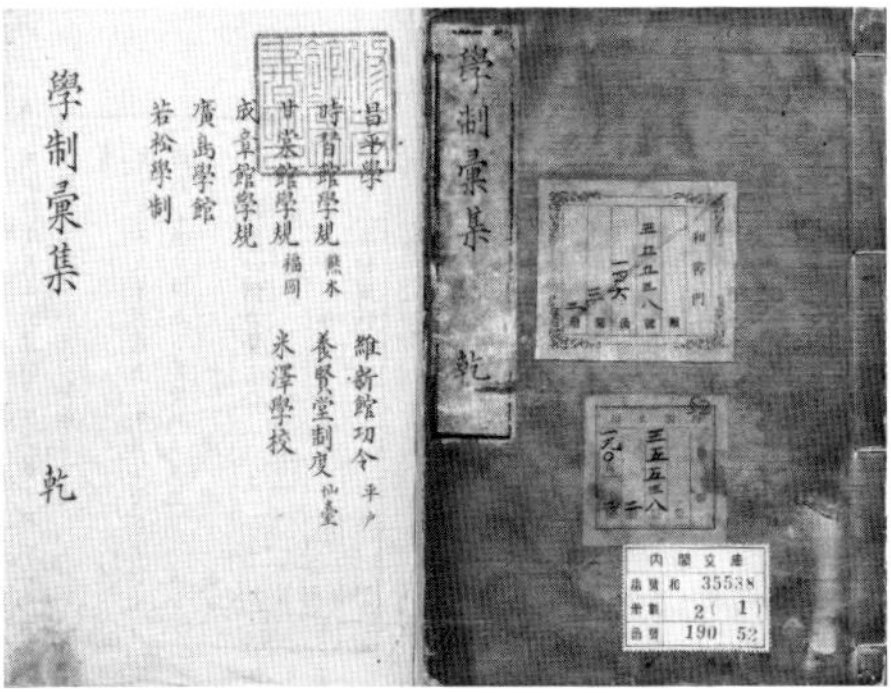

『学制彙集』の表紙と目次（国立公文書館蔵）

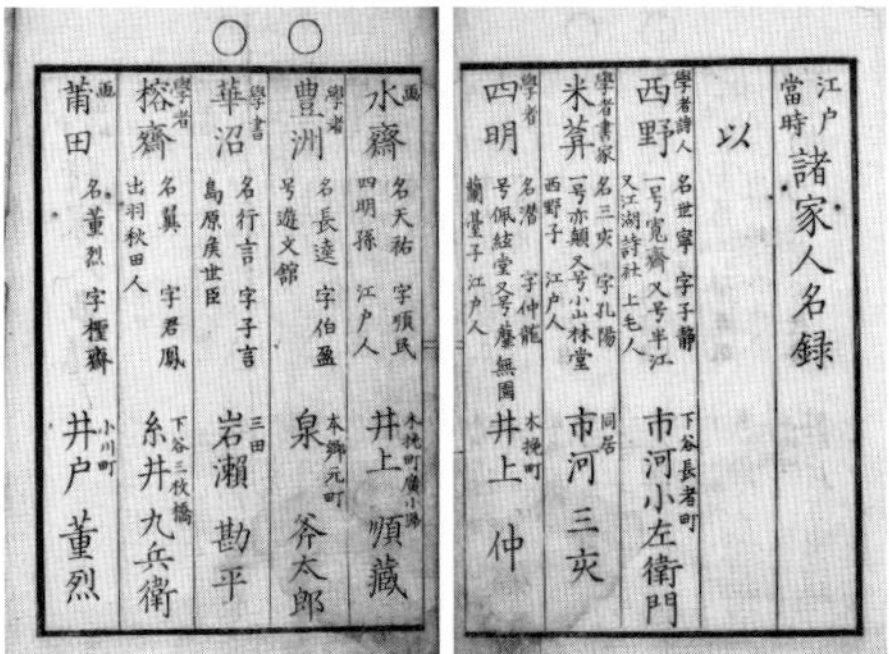

『江戸当時諸家人名録』の第一丁表・裏　（国立教育政策研究所教育図書館蔵）

がまた次の学習の需要を呼ぶ。教育遺産世界遺産登録推進協議会の専門部会ではこれを学習意欲と環境整備の好循環サイクルと名付けたが、上からの義務づけや受験準備に追われることなしに学びが広まった近世日本の教育の原動力がそこに見られる。そうした好循環サイクル自体、教育・学習がネットワークによって発展していたことの成果である。

近世日本の教育は、禅寺・禅僧の形態を借用する足利学校に始まったように、無理のない持続的な形で始まった。足利学校が実例をもって示した孔子廟と学舎群からなる「学校」のイメージは、情報ネットワークを通じて備前・閑谷学校に受け継がれて、庶民にまで開かれた学校というモデルを確実なものとした。一八世紀から次第に増えていった私塾や藩校もまたネットワークの所産であり、発展の節目に位置した日田・咸宜園や水戸・弘道館は、それぞれ私塾と藩校の頂点的な存在として名をなした。ことに、咸宜園は豆田町の地域資産に支えられ、かたや弘道館は政庁正面の好位置や偕楽園の庭園環境をも藩の政策として教育の一部に組み込んでいる。これは、両者ともに狭い知識学習に留まらない広さや、「芸に遊び」、山野で「放学」する全人性を象徴する学園構成を示しており、近世日本における教育・学習のスケールや特質をもよく表している。世界文化遺産登録に必要なオリジナルの建物や遺構の保存状態がネックとなって手習塾の再現が不十分であることは残念である。しかし、その他の教育要素については、近世の学校の初発形態から頂点に至るまでの歴史的経緯を含めて、四市の六資産によって十全に語り尽くすことができる。

近世日本の教育遺産群は、きらびやかな建築や広壮な遺構はないが、むしろサステナブルで無理のない態勢により、学び手のニーズに合わせて主体性や芸術性（嗜好性）を核とした教育を提供しようとしていた伝統を示す遺産群である。身分制の封建社会の限界はもちろんあるけれども、庶民階層への教育や学問の提供が社会的に是認されていた点には、日本国憲法第二六条の文言にある「能力に応じて」「教育を受ける権利」の芽が看取できるといえるし、ユネスコの掲げる「万人のための教育」の精神を先取りしたともいえる。また、そこで理想とされた学びの在り方は、現代の国際社会が掲げる「持続可能な開発目標」の「質の高い教育」の中核的な価値である「効果的で意味のある学び」そのものである。

今なお実現の途上にある世界教育の普遍的な理想と同じベクトルを持つ文化的伝統を形作っていた点が近世日本の教育遺産群の最も傑出したところ、すなわち世界遺産が重視する「顕著な普遍的価値」であり、教育の理想を実現する動力としてソーシャル・ネットワークを働かせていたことがこの遺産群の稀有な特性なのである。

註

1 大石慎三郎『江戸時代』中公新書、一九七七年
2 鈴木理恵『近世近代移行期の地域文化人』塙書房、二〇一二年
3 柳沢芙美子「鈴木主税の弘化四年『御用日記』」『福井県文書館研究紀要』一二、二〇一五年
4 小林文雄「近世後期における「蔵書の家」の社会的機能について」『歴史』第七六輯、一九九一年
5 教育遺産世界遺産登録推進協議会編『近世日本の教育遺産群　世界遺産暫定一覧表記載資産候補提案書』水戸市・足利市・備前市・日田市、二〇二〇年

参考文献
大戸安弘『日本中世教育史の研究』梓出版社、一九九八年
梶井一暁「近世僧侶の農民子弟の学習活動へのかかわり」『鳴門教育大学研究紀要』第二二巻、二〇〇七年
川崎喜久男『茨城県の筆子塚』多賀出版、二〇〇八年

第二章　座談会

五十嵐敬喜　法政大学名誉教授
岩槻邦男　兵庫県立人と自然の博物館名誉館長
江面嗣人　岡山理科大学建築歴史文化研究センター長
橋本昭彦　国立教育政策研究所総括研究官
西村幸夫　日本イコモス国内委員会前委員長
松浦晃一郎　第八代ユネスコ事務局長

近世日本の「学び」を世界遺産に

日本遺産と世界遺産の違い

松浦　「近世日本の教育遺産群」は世界に向けて我々日本人が胸を張って誇れる文化遺産です。しかし、世界遺産登録に向けて議論するにあたり、次の二点に留意してほしいと思います。

第一点は、「近世日本の教育遺産群」はすでに日本遺産＊に認定されていますが、日本遺産の場合はストーリーが中心で、それに合わせた遺産は当時のものでも復元されたものでも構いません。しかし、世界遺産では逆に、建設当時の歴史的な建造物が当時の形で（真正性／オーセンティシティ＊）完全に（完全性／インテグリティ＊）保存されていることを出発点としています。その意味で、ストーリー中心の日本遺産のアプローチを転換する必要があります。

世界遺産は、当初は姫路城のように単独で誰が見ても「顕著な普遍的価値／ＯＵＶ＊」があるとわかるものを中心に登録していましたからストーリーは特に必要でありませんでした。しかし、「明治日本の産業革命遺産」のように広範囲にわたる「シリアル・ノミネーション＊」の時代になってくると、

＊印を付した用語は、38頁の用語解説を参照

ストーリーで全体の資産群を一つのまとまりとして関連づけ、全体として「顕著な普遍的価値」をもつものとして構成しなければなりません。

最近は「完全性」の適用にかなりの弾力性が出てきていますが、「真正性」についてはかなり厳しく判定されるので、原則として全体が復元された構造物は対象にならない。ただし、日本がイニシアチブをとり、一九九四年に作成した「奈良文書*」のルールに沿った修復は認められています。

第二点は、日本遺産の「近世日本の教育遺産群」は、四市の遺産（弘道館、足利学校、閑谷学校、咸宜園など）のみを取り上げています。しかし、これら四市の遺産は「近世日本の教育遺産群」の中核を成すものですが、まだ他にもこのカテゴリーに入れてよいものがいくつかあると思います。将来、世界遺産登録後、今回の遺産を拡張するかたちで世界遺産の「顕著な普遍的価値」の基準を満たしている他の施設の参加も検討する価値があると思います。

階層・地域・年齢を超えた多様な学びの場

橋本　まず、近世日本の教育状況について簡単に説明します。

明治一〇年代に文部省がまとめた調査によれば、確認されただけでも、明治の初めまでの手習塾（寺子屋）の数は一万五五六〇、私塾は一四九三、藩校は二五五あったとされている。実際の数はこれをはるかに上回るとされ、半官半民の郷学や諸芸の稽古をする施設（稽古屋）も相当数ありました。

近世教育は、学校が相当普及していたことによって、近代以降の教育の普及の素地をつくったというふうにも評価されます。しかし実は、西洋式の近代教育が普及するお膳立てをしたこと以上に、独自の特質と人類史的意義があると考えられ、そのことを、四市の六つの資産で語り尽くそうとす

世界遺産用語解説

＊本稿での初出順に掲載

日本遺産（Japan Heritage）

文化庁が定めた文化財活用制度のひとつ。地域の歴史的魅力や特色を通じて日本の文化・伝統を語るストーリーを「日本遺産」として認定し、ストーリーを語るための構成文化財を地域の人々が主体となって整備・活用し、国内外へ発信することで、地域活性化をはかる。「近世日本の教育遺産群－学ぶ心・礼節の本源－」は初年度の2015年に日本遺産第1号として認定されている。

真正性／オーセンティシティ（Authenticity）

登録基準（i）から（vi）に基づいて推薦される資産について、形状、材料、用途などが本来のものであることを指す。登録物件の偏りなどとの関連で定義の見直しが議論されるようになり、「奈良文書」（後述）の成立につながった。

完全性／インテグリティ（Integrity）

「顕著な普遍的価値」を証明するために必要な要素が、適切な保護措置のもとで全て揃っていること。世界遺産一覧表に登録推薦される資産は全てこの条件を満たす必要がある。

顕著な普遍的価値／OUV（Outstanding Universal Value）

国家の枠組みを超え、全ての人類にとって現在および後世においても共通して重要であるような、傑出した文化的・自然的な価値。これを証明するためには、10項目の世界遺産登録基準のうちいずれか1つ以上を満たすこと、完全性と真正性を備えていること、適切な保存管理が行われていることの全ての証明が必要となる。

シリアル・ノミネーション（Serial Nomination）

地理的につながっていない複数の資産を同一のテーマのもとで関連づけ、全体として顕著で普遍的な価値を有するひとつの遺産として世界遺産に推薦する手法。

奈良文書／奈良ドキュメント（Nara Document）

1994年に奈良市で開催された「真正性に関する奈良会議」において採択された文書。真正性について、遺産を有する各地域の自然条件、歴史背景、文化的文脈など多角的な要素を考慮したうえで判断されるべきものとの原則が示された。正当な手続きに沿った遺産の解体修理や再建においては真正性が認められることとなり、アジアやアフリカに多い木や土の建造物など、多様な資産の世界遺産登録への道を開いた。

イコモス／国際記念物遺跡会議（ICOMOS＝International Council on Monuments and Sites）

人類の遺跡や歴史的建造物の保存を目的として1965年に設立された国際的な非政府組織（NGO）。世界遺産条約締約国から推薦された文化遺産の審査、モニタリングの活動などを行い、世界遺産委員会に協力している。日本国内のイコモス会員が組織する機関として「日本イコモス国内委員会」がある。

グローバル・ストラテジー（Global Strategy）

世界遺産の内容や地域などによる偏りを是正し、世界遺産一覧表の代表性や信頼性を回復するため、1994年の第18回世界遺産委員会において採択された方針。遺産の定義を従来の遺跡や建造物といった「もの」から、広範囲にわたる文化的表現へと拡大する必要性が指摘され、「生きた文化」や「人間と環境の相互作用」などを代表する資産を世界遺産として登録する流れを作った。具体的には新しい遺産のカテゴリーとして産業遺産、20世紀の建築、文化的景観の3つが示された。

るのが、「近世日本の教育遺産群」の世界遺産への提案です。

六つの資産を紹介します。まず、足利学校は中世随一の教育機関として海外にも知られた存在であり、中世から近世へと「学校」とはどういうものかを示す「バトン」を渡した。寺のもつ教育機能を原型としつつ、教育機関としての規範を一四四六年の「学規三条」で定めていたほか、儒学や漢籍を基盤とする学校施設のモデルを日本中に示した。

そのバトンをいち早く受け取ったのが、一六七〇年に創建された岡山藩の閑谷学校。孔子廟エリアと学校エリアといった施設配置は、足利学校をモデルとし、また、藩という公権力が教育機関や庶民教育を支援するという実例の提示がなされた。

その後、社会の需要に応えるかたちで塾や藩校の設立があいつぐなか、入門順の門人の秩序や、学業の進み具合などの実力による成果の認定など、当時の身分制原理とは違う学問・教育独自の原理によって運営される咸宜園のような私塾が人々の支持を得て、類似の教育法や地域社会との共生を前提とする組織運営を行う塾が広がった。

他方、武家社会では、多様な学芸や武芸の需要に応じる総合大学的な人材養成機関としての藩校が発達し、それまでの私塾や藩校が蓄積してきた様々な教育的要素や工夫を集積する弘道館のような学校が、藩の政策として創設されるようになった。

以上、四つの市の資産は、近世日本の教育の在り方を伝える資産であると考えています。

これらの資産は、教育施設の発達の様相を時代順に示すだけでなく、資産同士のつながり方からも近世教育の意義を示すものです。つまり、各学校の絵図や滞在記録などの情報の流布、蔵書の貸借や写本の流通、学校間の人間の往来などが複合的に重なりあって、日本中に教育的なネットワークを育んでいたのです。

六つの資産が浮かび上がらせる近世日本の教育状況に、私たちは、階層・地域・年齢を超えた多様な人々の主体的な学びを支えようとする、社会的な意志ともいえるかけがえのない価値を見出しつつあり、近世の教育遺産群が示す学習・教育の伝統は、世界的な共鳴を得て二一世紀の教育の共創の力となる、と考えています。

復元された建物も世界遺産として申請するか

松浦　では、「真正性」と「完全性」の見地から議論を進めていきます。

江面　閑谷学校は、講堂〔9頁〕が国宝に指定されていますが、聖廟〔153頁〕をはじめ主だった建物はほとんど重要文化財になっています。日田市の豆田町では長福寺本堂、草野家住宅〔156頁〕の二件が重要文化財、水戸市の弘道館は正庁〔105頁〕および至善堂〔13頁〕、正門〔108頁〕が重要文化財に指定されています。

橋本　足利学校は、書籍の一部だけが国宝〔121頁〕や重要文化財ですが、史跡になっています。世界遺産で評価されるのは、その土地に建っている建造物も含めてでしょうか。

西村　基本的には土地ですが、その史跡を構成している重要な部分として建造物も含めて評価されています。現状変更も厳しく規制されていますから、建造物も世界遺産の構成要素にはなりうると思います。

江面　史跡地においては、その構成要素となっている建物については、重要文化財とほぼ同じ扱いとされ、修理などにおいても同様で、現状変更の規制など、厳しい規制がかけられています。

日本の文化財の世界では、建造物を修理などによってもとに戻す行為を「復原」あるいは「復元」と言います。ともに「再現」を意味する用語ですが、「復原」はもとに戻す行為に明確な根拠がある場合に使われ、主に文化財建造物の修理時に、残存する材の細部に至るまでの痕跡調査によって復原する場合などに使われる。「復元」は、写真や図面などの資料から、細部までの根拠はないが、もとあった建物（遺構）を再現する場合などに用いられ、史跡地の整備などに採用される方法となっている。これまで「復原」をよしとする立場の人たちは「復元は本物ではない」と否定してきました。私も文化庁で建造物修理を専門にしていたので、長い間否定する側でしたが、世界遺産の可能性を考えるようになって、徐々に、史跡の価値を説明するにあたっては「復元」を肯定的に捉えるようになってきた。

もとから建っていた建造物に価値があるのは当然ですが、再現された建物であっても、学術的検討によって、史跡という土地のあり方や価値を現在に伝えるために必要な構成物なら、そこになければ意味がないし、そういうものとしての価値があると考えるようになったからです。

西村　新たに復元するには、これまでも専門家による委員会をつくり、科学的な議論をして結論を出しています。勝手につくっているわけではないので頷けます。

松浦　国宝や重要文化財は世界遺産の候補にしてもよいと思いますが、復元されたものを世界遺産候補にするのは難しいと思います。かつては国宝だけだった世界遺産候補が重要文化財にまで広がり、最近はそれ以外の文化財も全体のストーリーにマッチすれば含める傾向にある。しかし、それはあくまでも、建設当時のものを含めてです。

西村　基本はそのとおりですが、日本には、復元されて世界遺産になっているものもいくつかある。典型的なのは平泉の毛越寺《もうつうじ》の庭園です。もともとは完全に考古遺跡として発掘された庭ですが、科学的な調査のもとに復元的な整備をし、国の特別史跡にも特別名勝にも指定されています。

世界遺産の審査の際も、イコモス（国際記念物遺跡会議）*から「復元されているがオーセンティック（真正）なのか」と厳しく問われました。しかし、修理工事の報告書が存在し、発掘調査に基づいてどういった議論をして復元したのかを正確に説明することができたので「問題なし」とされました。
一方、首里城の正殿は、史跡としての価値を伝えるために復元されたものであるということで、世界遺産の構成資産には入っていない。ケースバイケースで判断が分かれています。

松浦　そこは、「真正性」の認定が少しは弾力的になってきていることを示しているのでしょう。「これだけはぜひ必要」という中核のものであれば、復元されたものでもありうる。しかし、その場合でも、非常に限定的にしなければならないと思います。

「明治日本の産業革命遺産」のひとつ、韮山反射炉（静岡県伊豆の国市）

毛越寺の庭園（岩手県平泉町）。平安時代の伽藍遺稿がほぼ完全な状態で残る

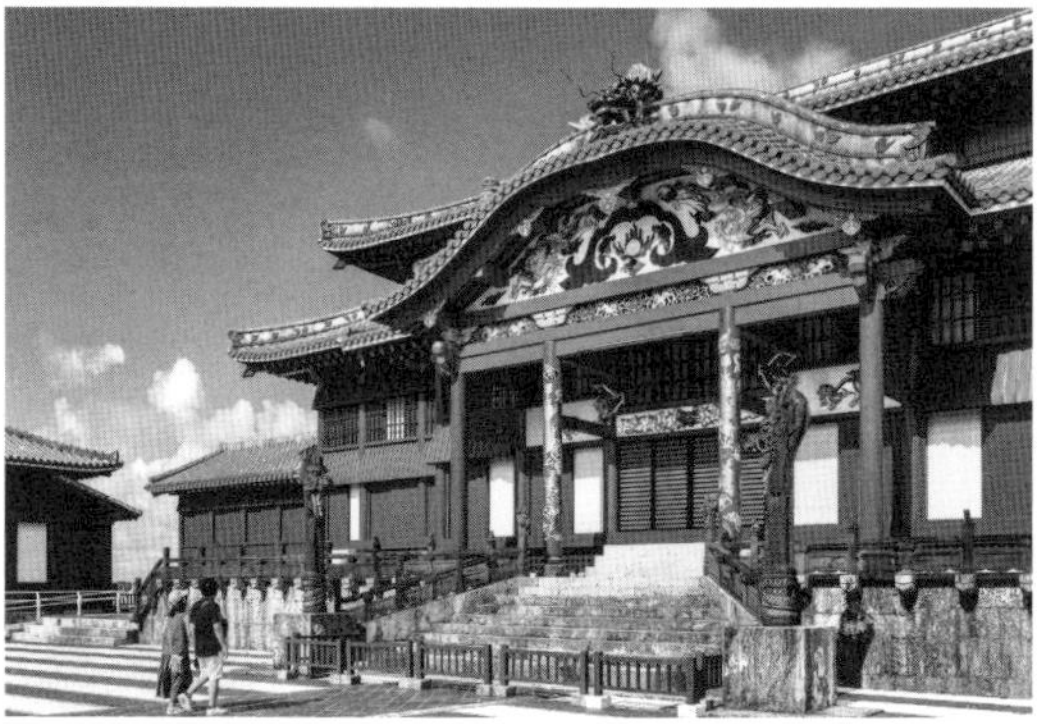

焼失前の首里城正殿（沖縄市）

仏殿で僧侶が儒教を教えていた理由

五十嵐　足利学校の孔子廟［8頁］の外観は完全に寺であり、江戸時代の藩校のモデルになっているようには見えない。寺として見てしまうと、建物だけではあまり高い評価はできないように思います。また、教育の内容は儒学を基礎にしているが、僧侶が教えていたので儒学の学校には見えない。そこをどう説明するかが気になります。

江面　日本では儒学そのものが建物の様式と結びついて入ってきたわけではない。中国から二度にわたって仏教建築が日本に入ってきたが、あくまで仏教との結びつきです。

　鎌倉時代に入ってきた禅宗様などの様式が影響を与えて、仏教建築は江戸時代にさらに発展するが、その後、江戸時代には新たな様式となるようなものは海外から入ってきていない。そのため、江戸時代には仏教建築を中心に主だった建築が造られた。仏教建築は神社建築にも影響を及ぼすなど、当時の中心的な建築様式となっていました。日本の江戸までの建築様式は仏教建築が中心で、大工技術もその発展に伴って熟達してきた。他の用途の建物も、その影響を受けてきた。ですから、比較的大きな記念的な意味をもつ建築が必要となれば、基本的には仏教建築の様式と技術によってつくられるのが通常であったと考えられます。

　そのため儒学の学校ではあったが、儒学との関連を示す技術も様式も当時なかったわけで、藩にとって重要な建物には、どうしても当時の最も進んだ仏教建築の様式を使わざるをえなかったという背景があります。

五十嵐　韓国の世界遺産には「書院《ソウオン》」［172頁］という儒学の学校がありますが、そこでは儒学と建築様式が一致していて、非常に個性的なものになっている。それと比較された場合に、いまの説明だけでは納得

橋本　しにくいのではないか。また、弘道館は仏教様式ではないので、そこの連続性もわかりにくい。儒学と仏教様式のギャップのように、日本が外国から新たにものごとを受け入れる時は、日本の実情に合ったかたちになる。仏殿の話が出たが、そればかりか戦国の世では、学徒が僧侶の格好をしなければ学校として生き延びていけなかった。足利学校での乱暴や狼藉を禁止するという命令を自らの軍勢に出した戦国大名もいたが、僧侶の格好をすることで修行の身であることを示したようです。

韓国の儒学の学校との違いも、たしかに大切な論点です。「書院」などの韓国の伝統的な学校は儒学の思想を専門的に究明する場で、近世日本の学校はより広い階層の多様なニーズに応じるものでした。なかには儒学に関心があるというよりは、中国語や漢籍の読み方に関心があって、漢文を使った兵学書や医学書を読んだり、漢文で書かれた西洋の本を読んだりするために儒学を学ぶ者もいました。

また、水戸藩の弘道館は、江戸開府以来二〇〇余年の間に各地で蓄積された教育経験を背景に一八四一年に設立されている。弘道館を語るときには、それ以前の儒学・国学・洋学その他諸学問の発達や、学習段階や目的に応じた教育方法の展開の歴史にも触れる必要があるので、日本におけるそうした文脈も提示して、多くの方の納得を得たいと思っています。

五十嵐　建物だけを見ると、これまでの世界遺産と比べれば貧しいと言わざるをえませんが、「長崎と天草地方の潜伏キリシタン関連遺産」の世界遺産登録のプロセスや結果を見て、貧しいというよりも慎ましいことに意義があることがよくわかった。そういった逆転の発想もあったほうが日本人にも外国人にもわかりやすいのではないか。藩校の場合は、そこをどういう論理で説明するかという視点もあったほうがいいと思います。

また、封建社会において藩校が突出した世界をつくれたのは、藩がかなりの自治性をもち、藩の自治のうえに藩校の教育があったからです。明治以降、日本は中央集権体制になったが、昭和憲法下では再び地方分権に戻そうとしてきた。この観点から見ると、江戸時代の藩と現代の地方分権の方が結びつきやすく、明治の方が異例だったともいえ、この視点で考えてみれば、当時の教育システムはうまく説明できるのではないか。

最後に、儒学には封建的な部分もあります。封建制のなかに儒学があったわけで、近代には教育勅語の原点になり、その後、国民を戦争に駆り出すための原点のような役割をなしたと捉える見方もある。登録を目指す活動自体が誤解されないよう、その位置づけをしっかり把握しておくことも必要でしょう。

江戸の学問・学びと「教育」

岩槻　四市六資産を基軸にして世界遺産が登録され、日本の近世の学びの実態が示されることは、世界に向けて日本人の考え方を発信するうえでも有用ですし、日本人が日本人の考え方を見直すうえでも非常に大切だと思います。

これを前提にしたうえで、「教育遺産群」という表題について気になります。江戸時代には「教育」という言葉はあまり使われていない。歴史上の出来事を、今の言葉で表現すると、思わぬ誤解が生じるのではないかと危惧します。

「教育」という日本語は明治以降に広く使われ、辞書にあるように「教え育てること」で、教える側が教えられる側を導く意味で理解されている。孟子に始まるといわれるこの言葉の理解としては少しずれている。また、水戸斉昭が記した「偕楽園記」には「自然」という言葉が出てくるが、江戸時代の「自然」は老子の自然（じねん）、「自然に〜になる」という意味で、現代のように「nature」の意味で使われることはほとんどなかった。

松浦　それは重要なことです。現代の日本の教育は、英語の「educate」の「教える」を「教育」と訳してしまったわけで、とかく教師が一方的に教えるだけになっている。それに比べると江戸時代の藩校などは自主的に学ぶことに重点を置いている。

岩槻　一方で、日本人は創造力がなく、外国から取り入れたいろいろなものを日本風に修正・加工することばかりがうまい。文字も中国からもってきた漢字から仮名をつくったとか、仏教も日本に入ってくると日本風の仏教になってしまったという言い方がよくなされます。

しかし、それは日本人が、借り物について自主的に学ぶことによって、自分なりに創造した結果なのであり、それも一つの創造力だと考えます。そのことが江戸時代の学びのなかにもしっかり出てきています。

多様な機関があり、そこでの学びのかたちも様々で、師匠が講義をしても、基本は自主的な学びでした。そこに江戸時代の学びのよさがあるわけですから、それが理解できるような説明の仕方ができれば、今回の登録の意味がますます重要になってくると思います。

橋本　近世の藩校や塾はただの学習施設ではなく、学習をよくさせるために意図してつくられた施設であり、教える人が居て成り立っているので「教育」と言っています。

「自然」という言葉を迂闊に使い過ぎたかもしれませんが、要するに、足利でも閑谷でも周囲に山野があり、咸宜園では野山での「放学」の伝統が見られ、水戸藩でも庭園でエクスカーションのようなことをしていた。それは現代の遠足や花見や学校の行事、旅行に引き継がれている。教育という言葉こそあまり使われないものの、当時もそうした全人教育的な工夫が意図的になされていたとみられます。たしかに言葉の使い方には慎重を期すべきでしょう。

多様性の価値と真正性

松浦　「学ぶ」という観点では、私は特に咸宜園に感激しました。ソフト面に「学び」の出発点がよく表れているし、そこで学んだ人が各地で活躍していることもわかります。

　問題はハード面で、一番中核の塾があった建物がなく、残っているのは、その他の周辺的な建物ばかりなので、世界遺産の登録に向けてはそこが気になります。

橋本　咸宜園自体は小さな施設ですが、それは町や野山と一体となった教育環境が当然視されていたからでしょう。学舎が小さい代わりに野山が「放学」の場となり、豆田町の人々が本を貸したり寝泊まりをさせていたり、飲食を提供したりしていた。こうしたバックアップ機能は、足利学校にも閑谷学校にもあった。

　水戸の弘道館の場合は、藩の政策で建てられており、水戸城の三の丸という便利な環境を与えられている。弘道館自体は武士の学校ですが、弘道館を出た人が城下で庶民の子供たちを教えていた。結果的に、この地域の教育のセンターとなったと言えます。

　近世の学校では、藩校以外では様々な階層・地域・年齢などに対応した多様性が見られます。藩校においても、出身者が私塾で教えたり、私塾を出た者が藩校の教師になったりと、身分制社会でありながら身分が混交する場面が多々あった。

江面　咸宜園について議論するなかで、「真正性」だけで、その価値を証明できるのかという疑問をもつようになりました。

　昭和二五（一九五〇）年にできた「文化財保護法」には「文化財を保存し、且つ、その活用を図り、もつて国民の文化的向上に資するとともに、世界文化の進歩に貢献する」と書かれている。学者などの専門家が価値付けをして保存し修理をするが、「活用」に関しては、専門家だけではなく市民の価値観や考え方がもっと大事にされるべきであり、市民のためにどう役立っているのかという視点が重要になる。

文化庁が「活用」を積極的に打ち出したのはここ一〇年ほどのことで、歴史学的、学術的な価値ではなく、文化は人間との関わりが重要なのであり、もっと人間の根本的な意味合いとして文化財の価値を考える方法もあると思います。

松浦　「活用」という言葉のイメージをどうとるかという議論はあるが、ユネスコもただ保全するだけでなく、世界遺産を通じて諸国民の相互理解と交流を深め、紛争を防ぐことを目的にしています。

六つの資産を一つのストーリーでいかに位置づけるか

西村　ここで、冒頭で提起された「シリアル・ノミネーション」の可能性について、議論したいと思います。これには二つの方法があります。一つは、同じようなもので全体像を示すもので、日本では「百舌鳥・古市古墳群」がこれにあたると言えます。

もう一つは、一つひとつの構成要素が役割をもっていて、それをつなげることで一つのストーリーを形成するやり方で、この場合は、ストーリー全体が完結しなければならず、そのストーリーの一つひとつのパーツに資産がうまく当てはまるようにしなければならない。「明治日本の産業革命遺産」はこのかたちです。

今回の「教育遺産」は後者になると思うので、全体のストーリーと六つの資産とをどううまく組み合わせて、ストーリーとしても必要十分になっているのかが重要です。六つの資産がバラエティに富んでいること自体はユニークですが、一方で、現地に行ってみると多様でつながりがわかりにくい。それぞれが連関していてつながりがあるということ、広がりに意味があるということをうまく説明しなければなりません。

岩槻　多様性を表現するためには、現在の四市六資産に限定しない方法もある。例えば、寺子屋専用に建てた建物は残っていなくとも、寺子屋に使われた寺はいくつも残っている。そうした寺を資産として加え、庶民の学びを含めた多様性をさらに強調することもできると思います。英国人ロバート・フォーチュンの『幕末日本探訪記』には、回向院《えこういん》で老僧が子供たちに講話する描写も出てきます。

西村　今回の世界遺産登録に関しては、二〇一九年に世界遺産になった韓国の九か所の「書院」が参考になるでしょう。韓国の書院は公立学校だった郷校とは違い、郷村社会で自主的に設立された私設学校で、儒教が発達していた朝鮮の建築物として、定型性をもった建築文化をつくりあげたことが評価された。

　これと今回の教育遺産は対照的です。九つの書院の登録では、時代を短く区切り、一六世紀の半ばから一七世紀に儒教が受容されていき、韓国的なオンドルを取り入れたりして一つの書院のかたちができ、韓国の南部に広がっていった時期に限定して、価値を論じている。少しずつ違うけれども、似ているものが集まって一つの文化的伝統ができているということで、価値基準（ⅲ）が認められました。

　これと比べてみると、今回の遺産は多様です。一つひとつの教育の形式が多様だから、受け入れる建物もそれぞれの教育を代表しているというかたちになっている。世界遺産のルールである「ものとしてのストーリー」にどういうかたちで収斂させていくのかが課題になると思います。

　韓国の書院では推薦書で提案されていた価値基準（ⅳ）は否定されました。書院には韓国の住居を反映したスタイルがあると主張しましたが、ユネスコはそうした視点があることは認めたうえで、「顕著な普遍的価値／ＯＵＶ」ではなくナショナルな価値でしかない、としています。

世界遺産の価値基準

(i)	人間の創造的才能を表す傑作である。
(ii)	建築、科学技術、記念碑、都市計画、景観設計の発展に重要な影響を与えた、ある期間にわたる価値観の交流又はある文化圏内での価値観の交流を示すものである。
(iii)	現存するか消滅しているかにかかわらず、ある文化的伝統又は文明の存在を伝承する物証として無二の存在(少なくとも希有な存在)である。
(iv)	歴史上の重要な段階を物語る建築物、その集合体、科学技術の集合体、あるいは景観を代表する顕著な見本である。
(v)	あるひとつの文化(または複数の文化)を特徴づけるような伝統的居住形態若しくは陸上・海上の土地利用形態を代表する顕著な見本である。又は、人類と環境とのふれあいを代表する顕著な見本である(特に不可逆的な変化によりその存続が危ぶまれているもの)。
(vi)	顕著な普遍的価値を有する出来事(行事)、生きた伝統、思想、信仰、芸術的作品、あるいは文学的作品と直接又は実質的関連がある(この基準は他の基準とあわせて用いられることが望ましい)。
(vii)	最上級の自然現象、又は、類まれな自然美・美的価値を有する地域を包含する。
(viii)	生命進化の記録や、地形形成における重要な進行中の地質学的過程、あるいは重要な地形学的又は自然地理学的特徴といった、地球の歴史の主要な段階を代表する顕著な見本である。
(ix)	陸上・淡水域・沿岸・海洋の生態系や動植物群集の進化、発展において、重要な進行中の生態学的過程又は生物学的過程を代表する顕著な見本である。
(x)	学術上又は保全上顕著な普遍的価値を有する絶滅のおそれのある種の生息地など、生物多様性の生息域内保全にとって最も重要な自然の生息地を包含する。

近世の学びに現代の教育が学ぶべきこと

松浦　今回の提案では価値基準（ⅲ）に焦点を絞っているようですね。（ⅵ）は無理ですが、（ⅳ）を入れてもいいように思います。韓国は儒教一つに絞ったから（ⅳ）が否定されたのでしょうが、こちらの提案は多様になっていますから。また、儒教を取り上げているので（ⅱ）についても検討していいのではないか。

いずれにしても、今回の登録によって、約二七〇年にわたった江戸時代に、武士だけでなく庶民も含めた学びの場があり、それが明治維新以降の日本をつくる基盤になったということは、非常に大きな点だと思います。

橋本　近世の教育が近代の基礎をつくった部分はありますが、私たちは、近世の学びのシステムにはそれだけでない意味があると考えています。

現在、上から教えるだけの教育ではない、個々の学びを助ける教育のあり方が世界で求められています。一九二〇年代の「児童中心主義」から、一九九四年の「社会性と情動の学習」、あるいは「万人のための教育」、「ＥＳＤ（持続可能な開発のための教育）」など、いくつも挙げることができます。こうした教育が目指している要素を、近世の教育に見ることができます。しかし、そこにあった学びのシステムの理想は、現代でもなお展開しきってはいない。その意味で、現代の私たち世界市民は、近世の日本にあったあらゆる学びの需要に応じようとしていた教育のかたちを参照して、今からの教育を構想することができる。今回の登録活動自体が、その大きなきっかけになるのではないかと考えています。

西村　教育というと、上から単一のシステムで教え諭すようなやり方を想像してしまいがちです。教育はまた、国民をいかに教化しなければいけないかといった政策課題として考えられることも多い。しかし、近世の多様な学びを知ることによって、それとは違う広がりのようなものが見えてきた。それは他の国の人たちから見ても刺激的だと思います。

岩槻　そのことこそ、世界遺産として世界に発信してほしいことですし、日本人にとっても「教育」を見直すきっかけにしてほしい実態です。

教育遺産群視察の様子。右より、五十嵐敬喜氏、岡田保良氏（日本イコモス国内委員会委員長）、岩槻邦男氏、西村幸夫氏、ひとりおいて、松浦晃一郎氏、小圷のり子氏（弘道館主任研究員）
撮影：2020年10月23日、弘道館至善堂　写真提供：水戸市

第三章　多様な学びの場と日本の文化

近世日本の学びにみる多様性と自主性

岩槻邦男
兵庫県立人と自然の博物館名誉館長

はじめに

「近世日本の教育遺産群」が日本遺産に認定（二〇一五）され、その勢いに乗って、関係者が世界文化遺産への登録を目指しておられる。その趣旨には、私も大賛成である。江戸時代の日本人の学びの姿は、現代日本人が襟を正して見直したいものであるし、世界に向けてその姿勢を公布したいものだからである。ただし、世界遺産に登録するためには、越えなければならないずいぶん高い壁が立ちはだかっているようにも思われる。本稿が、登録に向けて、何らかの追い風を送るものであるように祈念する。

江戸時代の学びと日本人

個人的な体験から話を始めさせていただく。私は丹波（兵庫県）に生まれ、国民学校五年生の時に第二次世界大戦の敗戦を経験した。それまでは、日本歴史はもっぱら皇国史観に基づいて授業されていた。軍歌のほか、「青葉茂れる櫻井の」や「児島高徳」を歌って忠孝を讃えながら育った、といっても、今ではそのような環境を理解してくれる人はわずかになった。

私が通った学校の名前は崇廣国民学校（私たちの学年だけは、制度上、小学校へ通学したことがない。今ではその学校は崇広小学校と呼ばれている）だった。名称は、明智光秀によって信長が滅ぼされた後、丹波柏原藩二万石に落魄した織田家に、江戸末期に儒学者小島省斎が仕官して営んだ藩校「崇廣館《そうこうかん》」に由来するものである（「崇廣」とは『易経』の「聖人所以崇徳而廣業也」にちなむ）。

今では史跡として大切にされている柏原《かいばら》陣屋（一七一四年建造、火災後、一八二〇年再建）は、私たちが就学していた頃には、教員室などに使われており、私たちは火災に遭わなかった長屋門《ながやもん》をくぐり抜けて通学した。崇廣館の建物も、最近まで小学校の近くに残されていたが、先年撤収し、資材

崇廣館は安政5年（1858）に陣屋北西隅に建てられた柏原藩の藩校。明治以降、氷上郡役所などに使用された。1933年に移築され、2006年度に保存解体工事が行われた。写真は移築後のもの

柏原藩陣屋跡（国指定史跡）は藩主織田家の政庁・居館。火災で焼失後の文政3年（1820）に再建された表御殿の一部が残る

織田家旧邸長屋門（兵庫県指定文化財）は陣屋の表御門で、正徳4年（1714）陣屋創建当時のものが現存する。長屋のように仕切られているため、この名で呼ばれる

は大切に保管されているという。

幕末までの織田藩の歴史なども、一九二七年に出版された大部の『氷上郡志』に詳しい。そういう取りまとめを、先輩たちが遺してくれているのに感謝しながら、今の私たちは私たち自身の生き様の記録のどれだけを後世に伝えることができるか、豊かさとは何かを考えさせられる。

もうひとつ、最近の個人的な経験からの話題を紹介したい。（公財）国際高等研究所が主宰する「ゲーテの会」と「ジュニアセミナー」の講師として、小野蘭山（一七二九～一八一〇）の業績を紹介する機会があり、その報告を公刊することになった【註1】。詳細はそちらに譲るが、蘭山が京都に開いた衆芳《しゅうほう》軒も江戸時代中期の代表的な私塾のひとつである。蘭山の名声に惹かれて彼の衆芳軒に入門した人は二千人を超え、そのうちには、杉田玄白や谷文晁《たにぶんちょう》などの著名人の名前も見られる。蘭山は本草学者で、彼の講義は徹底して本草学（当時はまだ植物学という言葉は使われていなかった）に限られていた。塾の名は江戸でもよく知られていたので、江戸から蘭山に度々問い合わせがあった

「蘭山翁画像」（部分）谷文晁画、1809年
（国立国会図書館蔵）

とも記録される。本草学から一歩も外れることのなかった蘭山の塾に、画家として大成する文晁や蘭学者として成果を上げる玄白が学んでいたということが、当時の私塾の性格をよく表している。谷文晁や杉田玄白は、小野蘭山の講義を受けても、本草学に傾倒することはなかった。文晁は植物の美に惹かれたかもしれないし、玄白はオランダ語をよく知るようになった。それが、その後の彼らの人生に大きく生かされた。衆芳軒で学んだのは特定の学問の領域の技法に特化したものではなかった。衆芳軒で学んだ人のうち、本草学で大成した人は少数である。

小野蘭山は本草学の展開に大きな役割を果たし、明治以後の日本の植物学の健全な展開の基盤を整えた。しかし、本草学という特殊な分野の講義を受けるために入門した人のほとんどは、その領域の学に精通することよりも、学ぶことの意味を学んだといえるのではないか。本草学の知見に富むことよりも、小野蘭山という傑出した本草学者の、研究者としての人格から学び取ったことが、門人の人間形成にとって大きな意味をもった。江戸時代の私塾の果たした役割の、もっとも大きな成果はそこにあったように思われる。そして、江戸時代の学びの制度には、なぜそれだけの力があったのか、それを探ることはヒトの知の伝播に果たす学習の意味を知る上で大切な課題である。

江戸時代の学習施設の多様性

さて、本書では、近世、江戸時代に育ってきた学習を支える施設の、世界遺産的価値を考える。世界文化遺産の「遺産」とは「heritage」であり、遺されている有形の構造物が対象となる。一方、「近世日本の教育遺産群」は、近世の学習施設が現代に生かされている、全国四つの事例が中核となっている。江戸時代の学習機関としては、代表的なものは他にもあげることは容易だが、有形で遺されていないかぎり、世界遺産の候補に加えることはできない。本件も、たまたま施設が遺されている四か所をつないだ「遺産群」であるが、こんなに内容がバラバラの四つの施設をつなぎ合わせるとはどういうことか。実は、それこそが江戸時代における学びの施設の多様性の片鱗を示すものであり、これらの施設を比べているうちに、実際はさらに多様な実態に遭遇することになる。

選ばれた四つの施設も、その内容はさまざまである。歴史的には、平安時代から奈良時代にまで話が遡る足利学校から、背景は江戸時代の初めからとしても、実際に設立されたのは幕末に近く、むしろ次の時代へのつながりに影響の大きい弘道館まで、時間軸においては幅広く、「近世日本の」という表題に収まりきらないほどである。また、弘道館は藩校であるが、足利学校は江戸時代には官立学校であり、閑谷学校は郷校に分類されるし、咸宜園は私塾である。もっとも、江戸時代の学習施設として数の上では抜群に多かった筆学所（寺子屋）については、遺された施設に拾い上げられるものが見当たらないせいか、加えられていない。足利学校と閑谷学校は学校と呼ばれているものの、咸宜園と弘道館の名称は園や館である。

四つの施設は、基本が漢学であり、徳川幕府の方針に従って、儒学に重きが置かれた点が共通するが、江戸時代も後半には、蘭学を学ぶ機会も増えてきたし、蘭学はやがて広く洋学に展開する。弘道館が創設される頃には、シーボルトの鳴滝塾（一八二四〜）や緒方洪庵の適塾（一八三八〜）など、診療機関を兼ね、自然科学を学ぶ施設も創設されている。

藩校——藩の修学方針

学習の施設が多様であるように、そこで営まれる学びのすがたも一口で説明できるように単純なものではなかった。藩校は武士の子弟が入学する施設であり、義務教育ではないにしても、仕官、昇任には関わりのあることが多く、就学率も平均して高かったようである。藩によって異なっていたようだが、それぞれに修学の方針が示されていた。弘道館では「弘道館記」[102頁参照]で宣言されているし、冒頭で述べた崇廣館でも、入門から館内の行動指針など、規則が提示されている。座学の学習と、武道を並行させていたところもあったし、武道は独立した道場で修練された藩も多かった。

私塾——師と門弟

藩校、郷校などは、藩が費用を負担したり、豊かな有力者からの寄付で経営されていたことから、学費は無料が原則だった。一方、私塾の場合、師範個人が経営するものも少なくなく、その場合、少人数の集いだった。著名な学者のところには、全国から入門希望者が集まり、成果の大きい場合もあった。

コロナ禍のもとで、学校の授業や大学の講義がリモート学習で行われているが、なかには普段でもこの方式が普及した方が良いという論議もある。ただ、講義は一方的な知識の伝達だけではない。リモート学習の方式でも、やりようによって人柄の触れ合いも効果を示すことはあるだろう。しかし、教員と学生、学生仲間同士の人格の触れ合いが、大学で学ぶうちで大きな場を占めていることを認識する必要がある。江戸時代の私塾のいくつかが顕著な成果を上げたのは、そこでの師の人格が門弟に転移されたことによるものと見えている。

寺子屋——庶民の学び場

筆学所は、初期には江戸や京都、大坂など大都市中心に発達したらしいが、後半には全国で数多く創られ、江戸時代末には一万五千か所を超えていたと記録される。はじまりは中世に遡るものの、江戸時代初期には江戸では筆学所、幼童筆学所や、手習所などと呼ばれ、上方《かみがた》では多く寺子屋と称された。はじめは豊かな町人の子弟が束脩を納めて入門し、衣装を調えて「寺上がり」（卒業）する風習さえあったという。五節句の際に謝礼（謝儀）を納めることがあったが、額はわずかだったという。それも、寺子屋が数多くつくられるようになると、束脩は志だけ、貧しい家の子供たちは謝礼なしで出入りしていたともいう【註2】。

筆学所では、統一された指導要領などはなかったし、義務で学ばなければならない項目もなかった。基本は、「学びたかった」から、学習できる施設に入門したのである。ただ、指導書としては、『○○往来』などの書が結構普及はしていたらしい。指導者側も、子供たちの健全な成長を期待していたので、謝儀が滞っても、強く催促するようなことはなかったと記録される。それでも、嘉永年間の江戸における寺子屋の就学率は七〇～八六パーセントあったという報告もある。田舎に展開した寺子屋のうちには束脩などに強いこだわりもなく、それが、筆子たちが筆子塚を設けて師匠に感謝した実績を裏付けているようである。

一八六〇年に日本を訪れたスコットランド出身の植物学者ロバート・フォーチュンは、『幕末日本探訪記』に江戸本所の回向院《えこういん》（現東京都墨田区）で寺子屋の授業を見たことを記しており、子供たちは揃って僧の仏話を聞いていたとある【註3】。しかし、寺子屋の様子が描かれている絵（たとえば渡辺華山の『一掃百態図』や錦絵の『文学万代の宝』など）では、子供たちは原則として勝手気ままに行動している。寺子屋では筆子たちは、自由に出席し、自主的に学習し、自由に退出したような雰囲気も普通だったらしい【註4】。学びの姿は、明治以後に使われる教育や勉強という言葉では説明できないかたちのものだった。

もっとも、江戸時代には筆学所というような表現が江戸では普通だったという説明があるが、一七四六年大坂竹本座初演と記録される『菅原伝授手習鑑』の四段目「寺子屋」は大当たりで、やがて歌舞伎は江戸でも上演されたようだから、寺子屋という用語は、上方だけでなく、江戸でも普及するようになったのだろう。

『一掃百態図』渡辺崋山画、永楽屋東四郎、1879年（国立国会図書館蔵）より

『文学万代の宝』始の巻（右）と末の巻、一寸子花里画、1844～1848頃（東京都立図書館蔵）より

世界文化遺産に登録されるために

姫路城や法隆寺などは、単体でも、誰もが世界遺産として認めるだけの威厳がある。残念ながら、ここで提起される資産群のうちには、姫路城や法隆寺に比肩されるだけの迫力をもつものはない。ただし、江戸時代の学びのすがたを伝えることは、姫路城や法隆寺が語るものよりももっと大切な

ものがあるともいえる。この「もっと大切なもの」を明らかにするために、世界遺産に登録するとはどういうことかの原点に立ち返ることが求められているように思える。

世界文化遺産は、人類の歴史を彩る知的な所産のうち今に遺されているものを、今後も大切に保全していこうという意図の表現といえるだろう。「文化」と名づけられた特殊な活動を創造した「ヒト」とよぶ生物種の活動を、実体として記録に残しておきたいということである。

儒教と国学

唐突ではあるが、ここでもうひとつ個人的な体験を挿入することをお許し願いたい。私は一九八一年に東京大学植物園の職を兼担した。まだ東京での活動に慣れきらない頃に、タクシーに乗って行き先を（通称の）小石川植物園へと告げたところ、後楽園の前でおろされたことがあった。五代将軍綱吉の庭園に始まる東京大学附属（小石川）植物園よりも、水戸藩の庭園だった後楽園の方が著名であることを思い知らされた。長期間かけて岩波書店から刊行された日本思想体系の五三巻『水戸学』が出版されたのは一九七三年である。ペラペラと数ページを繰ってみたくらいだったその巻を丁寧に読んでみようと思ったのは、そのような経験に促されたからだった。それから四〇年経って、もう一度この巻を開くことになったのは、本件に関わることになり、弘道館で講じられたことを自分の頭で改めて整理してみたいと思ったからである。

四つの施設を通じて、江戸時代の学びを考えれば、世界遺産への提案書では当然儒教の影響を取り上げることになる。学びは、当時としては必然のことであるが、漢学の影響下で進められる。漢学を学ぶとすれば、儒教の影響を無視することができるはずがない。しかも、江戸幕府の文化政策の基本には、林羅山《はやしらざん》（一五八三～一六五七）の関与に始まって、朱子学が主流となる。

しかし、平和が続き、じっくりと文化に親しめるようになった江戸時代には、日本文化に基づく国学が目覚めてくる。賀茂真淵《かものまぶち》（一六九七〜一七六九）、本居宣長《もとおりのりなが》（一七三〇〜一八〇一）らの、日本古典研究に始まる国学の確立は、江戸時代の学術にとって象徴的な出来事だろう。自然科学の領域でも、貝原益軒《かいばらえきけん》（一六三〇〜一七一四）の『大和本草』（一七〇九）から小野蘭山の本草学の業績など、中国に全面依存だった研究からの脱却はこの時代に見られる大きな成果である。

国学といっても、国学四大人の平田篤胤《ひらたあつたね》（一七七六〜一八四三）にまで話を広げたくないが、水戸学についていえば、学統の形成に大きな貢献をした藤田幽谷《ゆうこく》（一七七四〜一八二六）、東湖《とうこ》（一八〇六〜五五）父子の思想には、儒教の受容が大きな意味をもっていたものの、それは日本化された神主儒従といわれるものだった。

もともと日本人の学びは自主的なものだった。生物は遺伝子（「遺伝」は英語では「heredity」であり「heritage」と同源）を介して、親の世代から子の世代へ、種としての属性を継代する。ただし、遺伝子が成体をかたちづくる形質を発現する際には環境との相克が見られる。とりわけ、ヒトという種が獲得した属性である知の発現は、置かれた環境によって大きく左右される。

日本列島に住むようになった人々が、列島の自然環境とどのように馴染んできたかの歴史には未知の課題が多い。というより、明かされていることがほとんどないといったほうが正確かもしれない。ただ、列島に住む人々が、学びに対して積極的だったことは、いろいろな事実の示しているところである。その姿勢が、学び取ったものを独自の姿に馴染ませるという特技を見せてきた。文字は創造しなかったが、学んだ漢字から仮名文字を生み出し、日本語の表現を豊かにした。神道など独自の宗教は体系化しなかったが、受容した仏教は、神仏習合など、日本独自の様式に整えた。密教や禅宗でさえ、導入したすがたのままではなく、日本風に受容した。

儒教についても同じことがいえる。江戸時代の指導原理に儒教が置かれたといっても、朱子学が一貫して主導したと断定することは難しい。自主的に学ぶのだから、同じ四書五経を読んでも、読み取るものは多様である。多様であることが、この時代の学習では、むしろ当然のことだった。指導者の読み方に従わなければ間違い、などと決め付ける例はなかったようである。

学習と教育

「近世日本の教育遺産群」という名称については、現在の日本人が、日本遺産として今から江戸の学びを振り返ろうという際においては、あまり違和感を感じない。ただし、これを世界基準で語ろうという時、現在私たちが使っている「教育」という日本語で語って大丈夫だろうか。

本稿では、ここまで教育という用語は（一か所を除いて）意識して使わなかった。江戸時代の人々は、自分の意図で学習し、知識を習得し、知性を高めた。現に、徳川斉昭の「弘道館記」にも、教育という言葉は出てこない。

歴史の説明に、当時は用いられなかった言葉を使うことは珍しくはない。どうしても必要な用語だってあるのだからやむを得ない。しかし、言葉は概念であるといわれることもある。間違った概念を植えつけないとも限らない。例えば、植物の系統（生命の歴史でもある）を語る時、現生の生物は細菌から進化してきたと語られ、聴く人は現生の細菌を思い浮かべる。しかし、ここでいう細菌は、三〇億年前に生きていた生き物で、現生の細菌と、備えている形質の多くが酷似しているとはいえ、全く違う生き物であり、生きていた環境も異なる。現生の細菌のうちにも、深海や高温の温泉中に生きる例がひかれることもあるが、これも四〇億年になんなんとする進化の歴史を生きてきた現生の細菌が特殊な環境に生きているということで、地球上の生き物がひとつの生命系としての生を共有していることからいえば、比較には十分の配慮が求められる。

明治以後に教育という用語が多用されるようになり、公教育の制度としての義務教育は、日本人の学識を高めたと説明されるが、富国強兵を目指した国家主導の教育という面もあった。「米百俵」の思想で育てられていた教育制度だったが、明治維新後の国家権力の主導で進められた「百年の計」は惨めな結果に終わる戦争につながったという歴史の読み方もあるだろう。私たちの世代は、富国強兵のための滅私奉公、忠君愛国を、国の方針として教えられて育った。

教育という用語は『孟子』の「得天下英才、而教育之、三楽也（天下の秀才を弟子にして、教育するのは、第三の楽しみである）」（傍点は筆者）に始まるといわれる。この文には前があり「君子には三つの楽しみがある、そして天下で王になることは、その中に入らない。父母兄弟が健在であることが第一の楽しみで、天に恥じるような行いをしないことが第二の楽しみである」という意味の文に続くものである。つまり、ここでいわれる「教育」は、「education」と似た意味で、天才を自分の思い通りの人間に育てることに楽しみを覚えるのではない。

教育に関連して、勉強という言葉も、『中庸』に始まるとされるが、これも私たちが今使っているのとは随分異なって理解されるものである。江戸時代には、勉強するとは、商人がお客の利益を考えて、値引きをするのに「強いて勉める」ことだった。それが、義務教育で国の方針を子供たちに教育するようになってから、子供たちは、教えられることを、好き嫌いをいえずに覚えるのに「強いて勉める」ことになった。

教育という言葉にそういう偏見を叩き込まれていた世代の人間から見て、江戸時代の日本人の学びの心を正当に理解しようとすれば、斉昭も使っていない教育という言葉を使うのを避けて、「江戸時代までは人々は学習したが、明治以後、教育を受けた」という見方でまとめてみたいものである。

もちろん、私の記述のうちには、江戸時代に使われていなかった言葉遣いがままあることを知らないわけではない。しかし、ここでは学びが主題になるだけに、教育という用語（と概念）の使い方には神経質になってしまうのである。

自然という言葉は、漢字の二字熟語としては、『老子』の「ジネン」に始まるとされる。江戸時代にはもっぱら、「自ずからそうなる」という「ジネン」の意味で使われていた。ただし、一七九六年にまとめられた『波留麻和解』では、「natuur」の説明に「自然」という言葉が当てられている。徳川斉昭の「偕楽園記」に二度出てくる「自然」は「ジネン」の意味に読めるが、最近では、「自然界」の出来事と説明される傾向が強い。

本居宣長の、「敷島の　やまと心を人問はば　朝日に匂ふ山さくら花」を、第二次大戦中は、パッと咲いてパッと散る桜で形容したと教えられた。しかし、ここでいう桜は現代の人たちがすぐに思い浮かべるソメイヨシノではない。山桜は特定の種を指すのではなかったとしても、特定の種のヤマザクラも、もっと一般用語としての山桜も、儚い雰囲気をもつソメイヨシノとは少し違う。宣長が、国を愛して、パッと咲いてパッと散れ、などと考えたとは、彼の著作のうちからは想像もできない。江戸時代の人々の学びを後づけていると、この時代に花咲く大和心とは、むしろユネスコ憲章の前文に示されている「文化に基づく平和志向の生き方」にふさわしいものだったように思われる。

江戸時代の多様で個性的な学びの心を世界へ

「教育」は、中央から発信したものを全体に「勉強」させる。「学び」は、各地域で自主的に推進され、総合されて文化を生み出す。江戸時代に育った日本文化はそのようなものだった。江戸時代の日本には、バーバンク（アメリカの園芸家）やミチューリン（ロシアの育種学者）のような天才はいなかったが、日本全国で花開いた多様な飼育栽培動植物の作出は、たくさんの人々の貢献を総合したものだった。その後は、天才的な個人の貢献で育てられるものがあっても、すべての人々が育てあげるものは見えてこない。

明治になって欧米風の学校教育制度が整備された。しかし、小学校を開校するに際しては、既存の寺子屋が活用されたし、教員にも寺子屋の師匠が採用される例が多かった。鎖国の時代だったといわれるが、自然科学の分野でも、東京大学が創設される頃には、世界の大勢に追いつく実力はすでに醸成されていた部分もあった【註5】。それよりも、むしろ、江戸時代の個性的な学びの心が、国家の統制下の教育によって偏向するようになった歴史を直視したい。国家の統制下の学術体制でも、大抵の人々は個性的な学びを展開させていた。しかし、幼い頃に、学校で教育という名のもとに国粋主義の勉強を強いられた者の一人としては、自分の周辺には残されていた自由な雰囲気に感謝しながらも、江戸時代の学びの多様性に、自分が学び取っていると信じる日本人の心を見るようである。その心を、日本人が再確認し、世界に発信する追い風とするためにも、「近世日本の教育遺産群」の世界遺産への登録が推進されることを期待する。

註

1 岩槻邦男「日本のナチュラルヒストリー　小野蘭山に学ぶ」『高校生のための 人物に学ぶ　日本の科学史』ミネルヴァ書房、二〇二〇年
2 文部省編『日本教育史資料』（一八八九〜九二年）ほか
3 ロバート・フォーチュン『幕末日本探訪記』三宅馨訳、講談社学術文庫、一九九七年
4 辻本雅史『「学び」の復権』岩波現代文庫、二〇一二年
5 岩槻邦男『ナチュラルヒストリー』東京大学出版会、二〇一八年

藩の自治と藩校

儒教をめぐって

五十嵐敬喜
法政大学名誉教授

江戸のルネッサンス

江戸の評価については様々な論評がある。その封建的体制を強調する説は、厳格な身分制のもと徳川幕府（武士の支配）を頂点として、参勤交代（人質）、石高の決定（武士間の階級制をあらわしかつ各藩の財政をコントロールする）、国替え（制裁）などの手段によって国民を絶対的に支配したと説くものである。これに対してもう一つは、江戸の文化力を高く評価するものである。確かに江戸にはそのような諸制度は存在したが、なんといっても二百数十年にわたって「戦争」がないという「平和」のなかで、武士の支配は変質（武士は官僚になる）し、町民や農民は、この平和のもとで、虐げられることなく生き生きと生活できた、というものである。

後者のなかで最も過激な論が、異端の経済学者と呼ばれた福本和夫（一八九四〜一九八三）によるものである。福本は、八〇〇ページに及ぶ大著『日本ルネッサンス史論』【註1】で、「西洋で近世の初頭に起こったルネッサンス（人間と自然の発見と開放）が、東洋にはなかったというものである。まず、この説には痛切に抗議したい。日本にもそれが立派に存在していたからである」と述べ、日本にそうした時代があったからこそ、「明治維新の一大変革もみごとに成就できた」という独自の「江戸＝ルネッサンス」論を展開した。

冒頭にこのルネッサンス論を紹介したのは、そのネーミングの是非は別にして、福本が日本の近世にこのような高い評価を与えたのは、まさしく本書が議論する「近世日本の教育遺産群」の存在に拠るところが大きいと考えたからである。福本は、江戸の文化と西欧ルネッサンスとを比較するために、鉱山業・鉱山学・貨幣流通、沿岸航路・近海回船、国学、歌道復古論、奇才、古医方、兵学復興、法学復興、史学・史観、和算、カラクリ技術、火浣布製法、博物学、葛飾北斎、伊能忠敬の測量、商業資本と商人、異能学者、各種辞典、蘭学、造船、百姓一揆・都市の打ちこわしなど社会のあらゆる事象について総合的な歴史探求と比較検討を行い、江戸の文化水準が西欧のルネッサンスに匹敵することを論証しようとした。

事実日本では、明治維新を挟んだ一八五〇年から一九一〇年までの間に、九州五県と山口、岩手、静岡の八つの県で生まれた二三の産業遺産（製鉄、製鋼、造船、石炭産業など）が、世界でも例を見ないスピードで飛躍的発展を遂げたことが評価され、「明治日本の産業革命遺産」として二〇一五年に世界遺産に登録されたのは、まさしくこれから述べる、江戸時代の驚異的な教育の成果であったのである。

江戸の儒学

江戸の教育とはどのようなものであったか。それは、政府主導で国民皆教育を前提に、小、中、高校、大学という階層的に行われた「近代」の教育体系とは根本的に異なる。幕府の学問所も存在したが、それぞれの階層（身分制）に応じて、各藩で「自由・自発的」に、藩校（武士のための学校）、郷校（武士及び庶民のための学校）、寺子屋（主に庶民を教育するもの）、さらには儒学者や当時の知的リーダーが個人的に開校する私塾が併存し、江戸後期には、それらが全国津々浦々に存在したという点に特色がある。多様な教育機関があり、教育内容もさまざまであったが、年齢・地域、ところによっては身分すら制約がなく、希望する者はだれでもその身分に応じた教育を受けられ、さらにはいわゆる授業料といった負担もなかった。こうした制度は、当時の世界には例がなく日本だけであったという【註2】。

無償で誰でも教育を受けられる（学問の機会を得られる）というシステム、まさしく「教育の本質」を示すものであり、これこそ世界遺産にいう「普遍的価値」を具現化しているものといえるであろう。しかし、もちろんそこには江戸時代のユニークな特質があることも、見逃すことができない。江戸の教育遺産群は「儒学」という独特な宗教・哲学・道徳・学問によって支配され、さらにこれに独特な教育方法が付け加えられて完成されていった。

江戸幕府と儒学

儒学さらにそのベースとなる儒教は、今からおよそ二五〇〇年前の中国で、孔子の教説を中心に成立した思想・哲学の体系である。日本への伝来は古く、天智天皇の学問所「勧学堂」ではすでにその影響がみられ、また、奈良から平安時代に活躍した空海は、二四歳で著した『三教指帰』（七九七年）のなかで、仏教優位の立場から、「道教」と「儒教」を批判している。このことからも、すでにその時代に儒教が僧侶や貴族などの間で受容されていたことがわかる。その後、鎌倉そして室町へと時代が変遷し、貴族に代わって武士が台頭すると、儒教は「禅」（仏教）と結びついてさらに広がっていく。そしてこれが教育の主流になっていくのは戦国時代を経て武家政権・江戸幕府が誕生してからであり、それを主導したのが徳川家康であった。

家康はなぜ「仏教」ではなく「儒学」を選んだのか。これを前述の福本和夫は、幕末の館林藩士・岡谷繁実の『名将言行録』の一節「家康曰く、若きものどもに習わせたきは、四書五経なり、少しづつも聞かせたきことなり。義理を知りたらば、死を軽くすべし。仏法をすき悟りたてをしたるばかりにては、死することはなるまじく、と。」を引用し、家康が「若いものどもをして、徳川のために、死を軽んぜしめるようにするには、仏教では駄目で、儒教でなければならぬと」と考え、徳をもって天下を治めること、すなわち儒教で政治をしようとしていたと述べる。さらに儒学のうち、朱子学（宋学）を選んだのは、同じく『名将言行録』から、漢唐の古註（古い解釈）にばかり拘泥する京都貴族の学風からは学問は生まれないから、朱子学の新註に従うべきという家康の言葉に注目し、「それが事の深層ではなかったか」と結論づけている【註3】。

朱子学は南宋時代に新しく構築された儒学の学問体系で、日本へは一三世紀初め頃に伝来したとされ、京都五山の学問僧の基礎教養として広まったが、その後は長く停滞する。江戸時代に入り、家康が登用した朱子学者・林羅山《らざん》によって武家政治の基本理念として再興され、江戸幕府の官学となる。家康にとって朱子学は、「治国平天下」そして「個人の道徳的精進」と「斉家《せいか》（家庭をおさめ整えること）」などの価値観を縦系列のなかに位置付ける「封建体制の基盤」の思想そのものであったのではないか。こうして儒学は幕府御用達の学問となり、藩校などでは、孝経、四書（大学、中庸、論語、孟子）、五経（易経、書経、詩経、春秋・礼記）が教科書として採用された。

藩の自治から文化振興へ

やがて、江戸の幕藩政治を基礎づけた戦争はなくなり、その主役であった武士の地位も転換していく。江戸時代以前、武士は在地主として領地の民衆を直接支配し、これが権力の源泉となっていた。しかし、武士階級とそれ以外の階級との身分的分離政策である兵農分離と、参勤交代制度は、武士を農村から引き離し、城下町に集中させた。その結果、農村は農民による自治（惣村）に委ねられていく。また他方で城下町（都市）にも、武士が武士として活躍する場はなく、武士は官僚（役人）に変質していき、庶民は「長屋」（街路を挟んでブロックごとに共同生活を送る）に共住し、そこでは、子育てから婚姻そして葬儀や祭りなどの長屋の内部的な仕事のほか、火事、防犯、ゴミ、紛争処理などのいわば公共的な役割も負担するようになり、ここでも自治が育っていく。江戸時代の基礎単位である「藩」はこのようにして、都市と農村のそれぞれの自治とコミュニティによって支えられていた、とみるべきであろう。さらに平和の招来は、武士階級や庶民の位置や役割を変質させただけでなく、それと並行して商業、文化、工業など社会全体に変化をもたらした。

封建体制のいわばシンボルであった「参勤交代」は、各藩主が一年ごとに江戸に拘束される（家族は江戸に居住）一方で、藩の自治の強化も要請した。特に重視されたのは米の増収のほか、当該地域に合致した特産物の発見・育成と同時に、それを全国に流通させるという、商業の発達である。先のルネッサンス論によれば、金、銀など貨幣の流通、造船などの工業、さらにはそれらの基礎となる和算、測量などの知識が不可欠となり、武士が官僚としてこれらに精通すべきことは言うまでもなく、庶民も、時代の変化に順応し・対応しなければ生きていけなくなった。そして、そこに職業選択の自由も生まれたのである。

各藩はこのような時代転換のなかで、幕府の統制には従うものの、各自、他藩との競争に勝つべく、人、モノ、貨幣、情報の交換に活発に取り組むようになった。歌舞伎、相撲、落語、剣道などの武術を振興し、さらには桜まつりなどの催事も生まれた。いわば「人間解放」（文芸復興、ルネッサンス）の時代を迎えるのである。

儒学の変遷

時代の変遷が、身分を超えて誰でも「学ぶ」ことの必要性を生み出した。武士も庶民も自らの資質や能力の向上のための「知」を求めるようになる。統治の確立のための武士の知は、やがて自己向上の「知」になる。この儒学の展開と普及について、ここでは中興の祖としての徳川綱吉といわば完成者としての徳川吉宗を見ておきたい。

何よりも「学問」が好きであったという五代将軍綱吉（一六四六〜一七〇九年）が活躍した時代は、「元禄時代」とも呼ばれ、井原西鶴や松尾芭蕉など文人の活躍が目立った時代であった。そのなかで、綱吉は自ら儒学を講じるだけでなく湯島に孔子を祭る聖廟「湯島聖堂」を整備したほか、儒学者の林信篤《のぶあつ》（鳳岡《ほうこう》）を昌平黌《しょうへいこう》の「大学頭《だいがくのかみ》」にすえ、盛んに出版活動も行い書店で売買されたという。儒学の範囲内でいえば、伝統的な朱子学に対して、これに抗する伊藤仁斎《じんさい》（古学派）や荻生《おぎゅう》徂徠《そらい》（同）あるいは本居宣長《もとおりのりなが》の国学（儒学に対する根本的な疑問を提示している）などがあらわれたことを強調しておきたい。先のルネッサンス論では、この新しい潮流に注目し、学問の復興（ルネッサンス）として位置づけている。萩生徂徠などは江戸中に儒者を配置し、庶民も自由に勉強できるようにした。これにつれて藩校だけでなく、私塾や寺子屋が増えていったのは必然と言えよう。

湯島聖堂の大成殿（孔子廟）　東京都文京区

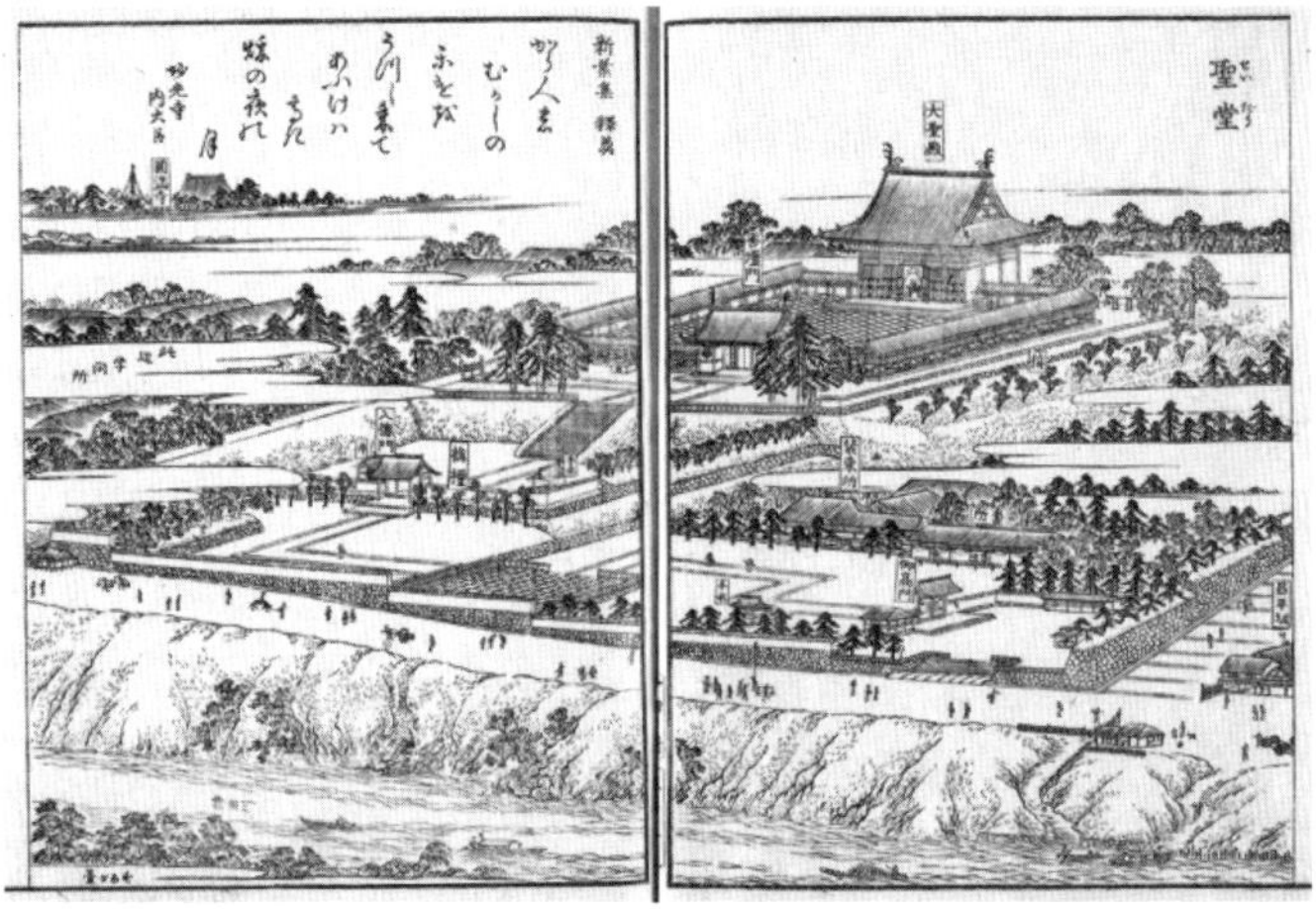

『江戸名所図会 5 巻』より「聖堂」、長谷川雪旦画、1836 年刊（国立国会図書館蔵）

次いで、八代将軍吉宗（一六八四〜一七五一）と松平定信（一七五九〜一八二九）の政策をみておきたい。吉宗の時代、日本は飢饉に苦しみ、幕府も藩も極度の財政難に苦しんだ。吉宗は倹約令を施行するとともに、藩の改革を指示した。幕府の綱紀粛正と人材登用を奨励したのである。そしてこれを具体化したのが吉宗の孫で、老中として寛政の改革を行った松平定信である。定信は改革の一方で、衰退気味であった林家《りんけ》の塾を学問所として再構築し、江戸教育の体系の改革を試みている。そしてこのころから、諸藩では国学の和学講談所、洋学の開成所、西洋医学所などを設置するようになった。最も大きく言えば、これらの改革が幕末のうねりと明治維新の土台となっていく。

素読と文武両道

江戸の教育は、儒学中心であったというだけでなく、教育方法においても「独特」であった。就学、教育方法、寄宿についてみていきたい。まず藩校は、七歳か八歳で入学し、様々な段階を経て、一般的には二三歳くらいまで就学したとされるが、なかには幕末に開校された水戸の弘道館のように三〇歳まで学ぶというような藩校もあった。弘道館には、武士階級の教授頭取をはじめとして数十人の教師陣を抱え、天文学、算術、医学などの専門教育なども行われた。今でいう「総合大学」となっていったのである。江戸時代の平均寿命については諸説があるが、三〇歳（四〇歳の強者もいた）まで学ぶというのはいわば終身教育というようなものであろう。

寺子屋は、私設の教育施設であり、一か所当たり一〇〜一〇〇人でいわゆる「読み、書き、そろばん」を学んだ。教師陣は浪人、僧侶あるいは有識町民も行ったといわれといわれる、一九世紀に全盛を迎え、都市から農村まで全国で一六五六〇もあった（文部省資料）。六ないし七歳くらいで入学し、ほぼ六年間、学んだといわれている。

私塾は封建的な身分を超えた学びの学問共同体とでも呼ぶべきものであり、儒学、蘭学、国学など多様な教育が行われた。就学期間はさまざまである。

このような多様な教育のなかで注目すべきは、現代の教育ではほとんど見られなくなった「素読」という教育方法である。毎朝、教師が教科書である「四書五経」を載せた机の前に座り、先導して声を出して読み上げ、生徒が全員一緒にいわばオーム返しに朗読していく授業法である。生徒たちはその意味も分からず、棒読みするだけであるが、漢文には韻を踏んでいる文章が多く、これを暗唱しているうちに、体の中に心地よいリズム感が生まれる。いわば五感を通じて学ぶとでもいうべき方法であり、教師を含め教室全体での一体感を生み出す。

聞くこと、あるいは読むことだけでなく、さらにこれに引き続いて行われる、「書く」という作業は、ことの順序や理解、あるいは反復することによる知識の蓄積、その修正などという点で優れた授業方法であった。生徒たちは通常これらの教育施設に自宅から歩いて通う。しかし、なかには寄宿舎のある藩校もあった。また、施設内での授業だけでなく、自由に個人的にも勉強できた。

このような学習環境はいろいろ利点を生み出した。なんといっても貧富の差なく、勉強できる環境は、生徒たちにとって意欲を持たせ、また教える側にとっても多くの人材の発掘を可能としている。寄宿舎の生活を含めて、集団的な行動と自主的な行動のバランスを保つことができ、今日の教育環境のように、例えば生徒一人一人は、ゼミや部活といったものを除いては互いに切り離されているという状態と比べれば、集団すなわち共同生活への適合性を強化できる。

藩校では、文だけでなく武も大切にされた。「文武両道」が教育の基本であり、文の授業が終了する午後二時以降休息を挟んで四時くらいから、武道、剣術、弓術、槍術、馬術そしてなかには砲術も採用されている。武（現在ではスポーツ）を知る人ならだれでも、秩序と相互助け合いが基本となることは言うまでもない。藩校や寺子屋は、地域限定であり、そこでの教育も藩や寺小屋の地域的な影響を受け、かつ愛郷心を育成する。これら共同生活の訓練と愛郷心の醸成は、おのずと、当該藩・地域の「自治」の形成に大いに寄与したとみておきたいのである。

上杉鷹山、興譲館と「伝国の辞」

上杉鷹山《ようざん》（一七五一～一八二二）は、一七六七年、一七歳で、東北の片田舎、出羽国《でわのくに》（現・山形県）米沢藩の九代藩主となる。そして莫大な借財により深刻な財政難に苦しむ藩と、凶作に困窮する領民（逃散や子供の間引きなどが横行する）を目の当たりにして、ひそかに地元の神社に「民の父母近年、国家が衰微して、民衆は互いに盗みあっている。だから大倹約を行い、藩政を中興したい」と、誓詞奉納を行い、その生涯を、藩と民の救済に全力を尽くした。「一国の衆人と苦楽を共にして、少しも下の潤いになれかしと、木綿に一汁一菜にて負わしまし候」と、保守的な重臣たちの反乱に悩まされながらも、藩主自ら窮乏生活を送り、念願を達成したこともよく知られている。

この鷹山にとって一七七六年の「興譲館開校」（元禄一〇年の学問所の再建）は米沢藩の忠良な家臣の育成にとって不可欠なものであった。その教育の中心となったのは学問の師として招聘した儒学者の細井平洲《へいしゅう》である。平洲は、儒学折衷派の碩学で、困窮した米沢藩を立て直すためには「修身斉家」よりも「経国済民」つまり殖産興業に力を入れることを奨励した。平洲は鷹山に「天地自然の道」を説き、「君主の道徳的な精進と民衆への強化を通じて実現される」と教えた。

鷹山は三五歳で隠居し（参勤交代による江戸詰めを回避し、地元に残るためともいわれている）、その際に養子の治広に送った「伝国の辞」は平洲の教えを象徴するものであった。三か条の辞はいう。

一　国家（藩）は先祖より子孫へ伝え候国家にして我（藩主）私すべき物にはこれ無く候
二　人民（領民）は国家（藩）に属したる人民（領民）にして我（藩主）私すべき物にはこれ無く候
三　国家人民（藩・領民）の為に立たる君（藩主）にて、君（藩主）の為に立たる国家人民（藩領民）にはこれ無く候

これは読んで字のごとく、国（藩）と人民（領民）の関係を、封建社会に見られる「縦の関係」としてではなく、対等の関係と位置づけ、相互の関係の充実こそ、藩の独立の土台である、というかにも近代（日本では戦後昭和憲法後の「国民主権の国家」）に通じる思想であった。このような考えはのちの欧米諸国の「人権宣言」や「独立宣言」に通じるものであるが、この「伝国の辞」は、これら近

「上杉鷹山像」（部分）、左近司惟春画、江戸後期（米沢市上杉博物館蔵）

代的な思想の嚆矢《こうし》となったフランス人権宣言（一七八九年）よりも早い。これが封建時代の江戸で藩の規範として宣言されたというのは驚くべきことである。有名なアメリカ合衆国第三五代大統領ケネディが日本で尊敬する人はと問われて、上杉鷹山の名を挙げたことも、福本和夫が「江戸ルネッサンス論」を唱えたのも、故無きことではないように思えるのである。

さらに鷹山について付言しておくと、前述の松平定信は、鷹山死去の報を受けて「三百諸侯第一の賢君」とたたえた。明治には、内村鑑三が、「代表的な日本人」のなかで「西洋医術が恐怖と猜疑をもって見られていた時代に、家臣数人に蘭医を学ばせ、医療機器を購入し、自由に教授と実地診療に使用せしめたこと。ペリーの艦隊が江戸湾に現れたるより五〇年前に、北日本の山麓地方の一角に、西洋医術が一般公衆に用いられていたのである。鷹山の受けた支那的（儒教的）教育は、彼を支那人たらしめなかったのである」と評価していることなども忘れないでおこう。

儒学――明治維新以降

江戸中期に、上杉鷹山が行った開明的な知性はやがて一八六八年の明治維新に連なっていく。最後に、その橋渡しとして藩校が果たした役割を復習しておきたい。日本で最大規模を誇った水戸藩、徳川斉昭の「弘道館」もその一つであるが、ここではその全体像を示すために同時期に島津斉彬《なりあきら》（一八〇九〜五八）が力を注いだ藩校「造士館」を見ておきたい。

造士館は「修身、斉家、治国、平天下の道理を究め、日本国の本義を明らかにし、国威を海外に発揮すること」という教育方針を掲げた。なかでも「国威を海外に発揮する」という部分に着目したい。斉彬は当時の緊迫する内外情勢に備えて、桜島に造船所、島津家の別邸仙巖園《せんがんえん》に西洋科学研究所と製作所の「集成館」を建設。火薬、ガラス、塩酸などの施策を行い、電信線を開通させた。さらには戦争に備えて、大砲、軍艦建造にも乗り出したことを指摘しておきたい。道徳的な儒学は終焉し、これに代わって、実学（しかも戦争対応）が飛躍的に重要になっていくのである。薩摩は間もなく長州と連合を組み、天皇を擁して幕藩体制に挑戦し、江戸は終焉を迎え近代＝明治維新が始まった。

明治政府は日本の近代化を図るため、天皇を神（頂点）としていだく「中央集権体制」を構築した。自治的な機能をもつ藩が廃止され、新たに都道府県が創出された。都道府県は国の一部地方機関であり、知事は国が指名し、そこでの行政はすべて国からの委任を受けて行うもの（機関委任事務）となった。

教育についていえば、藩校、郷校、寺子屋、塾などは原則すべて廃止された。一八七一（明治四）年に、文部省は国民皆教育と全国一律の近代教育の普及に乗り出す。一八八九年（明治二二）年に公布された大日本帝国憲法は、教育に関する条文をもたず、教育に関する法令はすべて勅令でなされた。「教育に関する勅語」（一八九〇年）には、儒学の精神が一部採用されているが、忠君愛国を基本とし、教育の基本理念となった。

教育勅語がその後どのような歴史をたどったか。それは日清、日露戦争をへて、第二次世界大戦の日本国敗戦とつながり、一九四八年の衆参両議院において「廃止」が宣言される。明治近代に入って、江戸の儒学がどのように変質したのか（しないのか）、大局的な歴史観のなかで検討されるべきであろう。

註

1 福本和夫『日本ルネッサンス史論』（初版、一九六七年）／『福本和夫著作集第九巻 日本ルネッサンス史論』こぶし書房、二〇〇九年

2 教育遺産世界遺産登録推進協議会編『近世日本の教育遺産群　世界遺産暫定一覧表記載資産候補提案書』水戸市・足利市・備前市・日田市、二〇二〇年

3 福本和夫、前掲書（二〇〇九年）、一七八頁

近世庶民のリテラシー
小咄から見る江戸の文字環境

大石学
東京学芸大学名誉教授

江戸の教育力

本稿は、江戸の「平和」と「文明化」を支えた庶民のリテラシー（読み書き能力）について、江戸小咄を中心に検討するものである。

幕末期に日本を訪れた二人の外国人は次のような文章を記している。

一人は、一八六四（元治元）年来日の仏国駐日公使レオン・ロッシュである。彼は、江戸幕府一四代将軍徳川家茂に上書を提出した。旧幕臣で親仏派の栗本鋤雲《じょうん》の遺稿集『匏庵《ほうあん》遺稿《いこう》』によると、ロッシュは、「二百五十年の間、国内泰平にして目に干戈《かんか》を見ざるの洪福《こうふく》を保てるは、世界に聞たる例なき所なり」【註1】と、江戸時代二五〇年以上の『平和』を世界に類のないことと高く評価している。

もう一人は、一八六五（慶応元）年世界周遊の途上来日した、トロイ遺跡の発見で知られるドイツ人ハインリッヒ・シュリーマンである。彼は、「この国は『平和』で、総じて満足しており、豊かさに溢れ、極めて堅固な社会秩序があり、世界のいかなる国々よりも進んだ文明国である」と、江戸の「平和」と「文明」を評価し、「もし人が言うように文明を物質文明として理解するならば、日本人は非常に文明化された民族だといえよう。なぜならば産業技術において、彼らは蒸気機関の救けもなく達せられうるかぎりの非常に高度な完成度を示してきているからである」(『シュリーマン日本中国旅行記』)と、文明を支える技術を絶賛したのである。

幕末の江戸にほぼ同じ時期に渡来した、二人のヨーロッパ人が、そろって日本の「平和」「文明」「技術」を高く評価したのである。かつて私は、彼らが感嘆した日本社会の「平和」「文明化」「技術」の基礎には、「江戸の教育力」があると述べた【註2】。

以下、江戸時代の庶民の教育力やリテラシー環境の一端を知るために、江戸小咄を例に見ていくことにしたい。

寺子屋・手習いと父母のリテラシー

まず、寺子屋・手習いから帰宅した子供と父母の会話を見る。

小咄「**無筆**」(「畦の落穂」、一七七七〔安永六〕年)には、手習いから帰ってきた子供の書を、来客に自慢したくてたまらない父親が描かれる。

「わしが小僧めが、此頃大ぶん手があがりました」、「それは結構な事、どれ清書を見ませふ」、「アイ皆な草紙は、お師匠様へおいてきやした」、「そんなら、なんぞ書いて御目にかけろ」、「アイなんといふ字を書かふね」、「ハテなんでもい、わさ」、「そんなら百の字を書かふ」と、大文字筆にて、すっと一チを引クと、親仁がそばから、「まづひゃの字出来たり」 1

※ 引用文末の番号は、出典一覧[97頁]の掲載順を示す

父親は、子供が百の字を書くのを待ち切れず、一画目で「ひゃ」の部分が出来たと褒める。「無筆」の題からすると、父親は十分なリテラシーを備えていない。しかし、子供を愛し学力の向上を喜んでいる姿が示されている。

同じ題の「**無筆**」（「笑談聞童子」一七七五［安永四］年）でも、手習いから帰宅した息子の清書を見て、「絵どり」（色具合）を絶賛する。

無筆なる者、子供を手習に遣りけるが、息子、清書をして親父に見せる。親父見て、「能く出来た、この絵どったで大ぶん」

2

さらに、「**手本**」（「笑談聞童子」一七七五［安永四］年）では、娘こよが、手習いで仮名手本（仮名で記したテキスト）を終え、家で復習し読み上げる。

娘が仮名手本をあげて、内でさらへるを聞くに、御奥様御平産とよむ、おふくろが聞ひて「これおこよ、おらがいかに知らぬとて嘘を読むなよ、そふじゃあるまい」といへば、「ナニそれでも御奥様ごへいさんと習ひやした」、「アレなだいやる、何おく様に五兵衛さんが並んであろう」

3

娘の読みを聞いた母親が、「私が読み書きに劣るからと言って嘘を読んではいけない」と言うと、娘は、「私はきちんと御奥様ごへいさんと習った」と答えた。すると母は、「どうして奥様と五兵衛さんが並んで出てくるのか」と言う。奥様が「ご平産」、安産だったという文字であるが、ここでは、女子が手習いに通っていること、母親がそれを聞いて疑問を言っていることがわかる。

「**文字二つを何事にもつかふ**」（「露休置土産」一七〇七［宝永四］年）では、寺子屋から帰った子供に、リテラシーの劣る父親が話しかける。

親仁、子供、寺より帰りける時、手本を見て、「さあ、この手本読め」といへば、その子、口より読み終り、「何月《なんがち》いくか」と読みければ、親仁聞き、「先度は、この字を月《つき》と読み、またけふは、ぐわちと読むは、どふしたことじゃ」。子供「いかにも、この字をば、つきとも、ぐわちとも読みまする。こゑとよみも同じことでござる。また、この机も、つくゑとも、しょくともいひまする」。親仁聞き、「さても〱知らなんだ。大分の学文をした」と悦びけり。
4

父親は、手習いから子供が帰るたびに手本で復習させ、自らも学びつつ、子供の成長を喜んでいる。

これらの小咄からは、江戸庶民の父母が、たとえ自分はリテラシーに劣っても、子供たちに教育

子どもが字を学ぶ様子　『商売往来』（水戸市立博物館蔵）より

女性の先生が教える様子　『絵本栄家種（上）』（国立国会図書館蔵）より

の機会を与え、家庭で復習させ、自らも積極的にかかわっていたことがわかる。

女子教育・習い事・私塾

前出の「**手本**」(御奥様御平産)でも見られたが、女子教育も盛んであった。

「**伊勢物語**」(「笑談聞童子」一七七五〔安永四〕年)では、駕籠かき七兵衛の娘が寺子屋で「百人一首」のテキストを終え、次に『伊勢物語』を欲しがる。

駕籠かきの七兵衛が娘、寺子屋へかよわせ、百人一首をあげてしまひ、「伊勢物語を買ふてください」とねだる。女房「何もふ読物はよしたがよい、高イ物は買われぬ」といふ。おやぢきいて「ナニ伊勢物語の事なら、買うてやれ」といふ。女房「らちもない、こなたも同ジやふに云わしやる、このほうづきの子供が伊勢物語よんで何ニするものだ、おいたがよい」。おやぢ「ハテそふ云わずと買ふてやったがよい、あいつが男の子なら、ぬけ参りもするだろ」

母親は、『伊勢物語』が娘には難しく値段も高いと反対するが、七兵衛は買ってあげろと言う。母親は、困った父親だと言い、まだ髪の毛も生え揃わない酸漿頭の子供に恋愛物語はわからないと言う。七兵衛は、「そう言うな、あいつが男の子だったら伊勢に抜け参り(奉公先から伊勢参り)をする年頃だ」と言うのである。ここでは、両親が次のテキスト選びに参加し、母親は、『伊勢物語』の内容を知っており、父親は知らない。この会話が庶民の家で行われていることは注目される。

経済的に余裕のある家では、子供たちに手習いだけでなく、他の習い事にも行かせた。

京都の小咄「**したり顔**」（『笑の友』一八〇一〔享和元〕年）では、祖父と孫との会話が展開される。祖父は溺愛する孫に謡曲を習わせ、帰宅後復習させた。そして、孫が謡うのを聞いた祖父が悪い部分を指摘すると、孫は自分は習った通り謡っていると反論する。すると、

「ヤイ、おのれ、ませおるがな、おりや、なんでも知って居るはひやひ」、「そんなら、いま、わしが諷ふ謡をきいて見なさい」、「ヲヲうたへうたへ」、「いでそのときの鉢の木は梅桜松にてありしよな、サアなんじゃエ」、「ソレカ。それは菅原」 6

祖父は孫に「ませたことを言うな、わしは何でも知っている」と言うと、孫はならばと、北条時頼が佐野源左衛門に与えた領地、加賀梅田庄、越中桜井庄、上野松井田庄に因む「鉢の木」を謡い名前を尋ねる。祖父は、梅王、松王、桜王が登場する浄瑠璃『菅原伝授手習鑑』と間違えるという話である。これは、知識・教養を基礎とするハイレベルな内容である。

「**不審紙**」（『喜美談語』一七九六〔寛政八〕年）では、私塾に通っている亭主が、本を読みながら別に紙を裂き自製の付箋を貼っている姿を見た妻が、なぜ紙を貼っているのかと問う。

ある所の御亭主御学文を好み、本を読んで居ながら紙をひっ切《きつ》てつばをつけ、本の中へはるを内儀見てゐて、「モシ旦那へ、なぜ其よふに紙をつばでお張《はり》なさる」。亭主「イヤこれはどふも分らぬ事を、先生に聞時《きく》のために印に張ておくのじゃ、是を不審紙といふ物じゃ」 7

亭主は「先生に質問したい部分に、印として貼っている」と答えている。亭主が主体的に予習をする学習姿勢が示されている。

古典リテラシー

小咄には、古典をもとにした高次な内容も見られる。

「**平家物語**」（『喜美談語』一七九六［寛政八］年）では、一人が『平家物語』の講釈を習ったが、水鳥の羽音で驚いて逃げる（富士川の合戦）など迫力に欠き、面白い合戦シーンがなかったと不平を漏らす。

> 「コレ此頃おらがほうで、平家物語を講釈するが、水鳥の羽音で逃たのなんのかのと、面白い軍《いくさ》がなひ」。「ヲ、そふだろう、おれも旦那の所で、源氏物語の講釈を聞たがちっとも軍はなひ」8

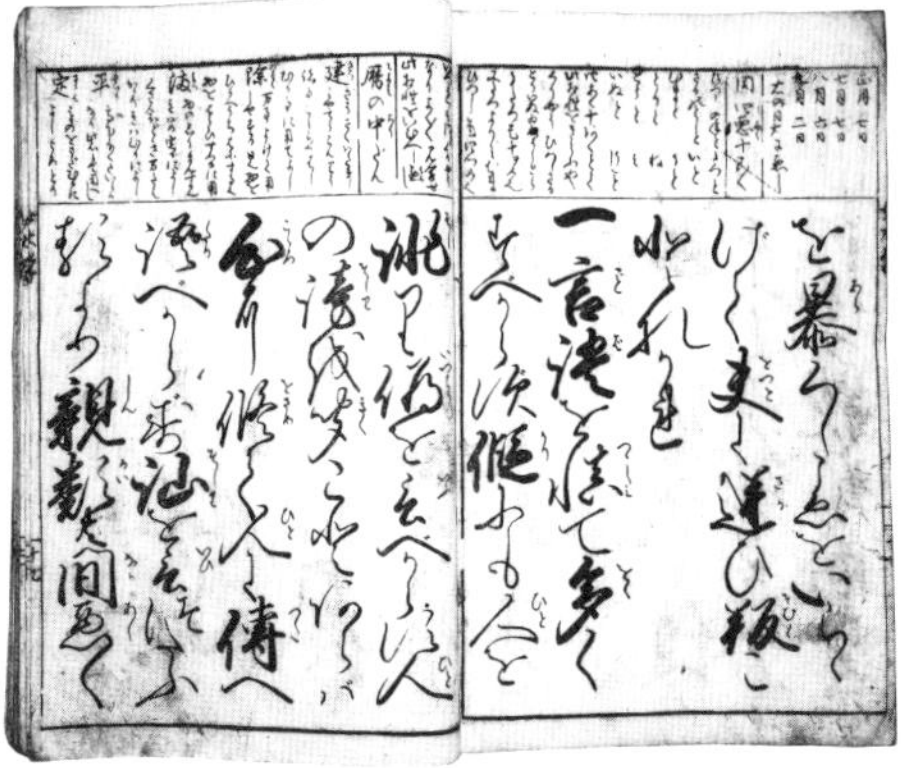

女子の教科書　『女大学』（水戸市立博物館蔵）より

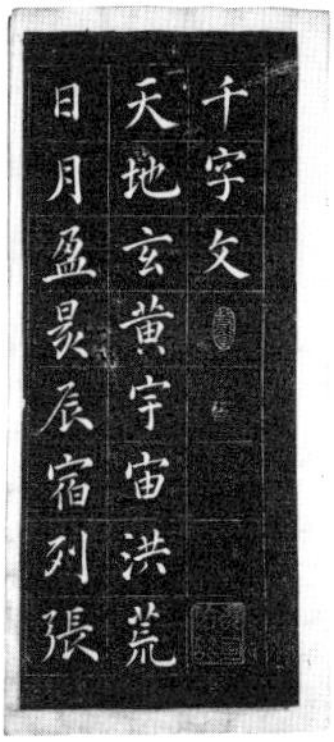

立原翠軒の字を鑑賞し練習するための書
（水戸市立博物館蔵）

相方は、「そうだろう、自分も旦那の所で『源氏物語』の講釈を聞いたが少しも合戦がなかった」と相槌を打つ。江戸庶民が『平家物語』と『源氏物語』の内容を知っていたことを前提とする小咄である。

また、「**学者**」（「笑談聞童子」一七七五〔安永四〕年）では、儒学者の家に盗みに入った泥棒が、論語を引用する。

> 儒者の家へ盗人来りて、窓より手をいれてさがす、先生其手をとらへて歎《たんじて》曰く、「此人にして此やまひあること」。盗人は、なむさんしまい付ケたと思ふ所に、銭百文握らせて、手を放す、盗人手を開き見て、「あ、すくない哉仁《かなじん》」
>
> 9

儒学者の家に盗人が来て、窓から手をいれ物色していると、儒者がその手をつかまえた。儒者は盗人の病を嘆き、慈悲を施した。盗人は観念したが、儒者は一〇〇文を握らせ手を放した。喜んだ盗人であったが、手を開いて「少ない」と歎いた。盗人は孔子の論語「巧言令色鮮《すくなし》仁」をもじって言ったのである。

日常のリテラシー

日常生活において、庶民を取り巻く環境の一つである看板も、リテラシーを高める要因となった。小咄「**訴状の書きそこなひ**」（「軽口御前男」一七〇三〔元禄一六〕年）では、行政文書をめぐって役人と庄屋が会話する。

> 万年亀太郎様と申す御代官あり、お下の百姓山公事を取りむすび、訴状をさしあぐるとて、万年を書きそこなひ、一年亀太郎と書きける、御取次衆見たまひ、「名字がちがふた、これは

一年じゃ」と叱られ、庄屋、せかぬふりで、「力落しました」

10

架空の代官、万年亀太郎が支配する村の農民が、山論訴訟の訴状を提出したものの、取次役人が、訴状の宛名の万年が一年になっていると叱ると、庄屋は落ち着いて「力を落としました」と言った。訴状のなかの誤字の可笑し味を読者も共有できたのである。

市中の看板もまた、リテラシー向上に寄与した。

「**三角**」（「二のもり」一七七五〔安永四〕年）には、「三角尽くし」の看板を掲げた家の話が登場する。玄関も座敷も床の間の違い棚も、ことごとく三角の趣向の家で、客が主を困らせようと三角の水を求める。

亭主、うろこがたの着物、三角なやき飯を食って居る。何でも難題をいふてこまらさふと、「モシ三角な水が所望」といへば、「これ、さんよ、すみ切った水をあげろ」。角切ったは三角。

11

三角が連なった鱗紋の着物を着て、三角の焼き握りを食べていた主人は、妻（名前がさん）に、澄みきった（角《すみ》切った）水をあげるよう命じ、角を切ると三角になるという話である。

町の張り紙も文字に接する機会であった。

「**大屋**」（「こころの春さめ咄」一七七九〔安永八〕年）は、「貸し店《たな》」の張り紙を、たびたび子供にはがされる大家の話である。

貸店の札を、子供がいたづらにへがす。たび〱におよべば、大屋どの、あんじをつけて、厚板に「かし店」と書きつけて、五寸釘にて、じゃうぶに打ちつけ、「これでは、四、五年もこらへる」

12

困った大家は、厚板に書いて五寸釘で打ちつけ「四、五年もつ」と安堵する。

また、文字をテーマにした会話もある。

小咄「**文字**」（『聞上手二篇』一七七三〔安永二〕年）では、「金」という字の草書と楷書の違いを話題にしている。

「金《かね》といふ字は、よくこしらへたもんだ。人の主《ぬし》と書きます。なるほど金は人の主にちがいはない」といへば、側の人が「それでも真《しん》では人のぬしとはかかぬぞや」、「はてさて、死んでは（真では）いらぬものじゃ」

13

すなわち、草書では「人の主」と書くが、「真」（楷書）ではそうは書かないと言うと、死んでは金はいらないと応ずる。字の形、くずしなどの知識が前提となった話である。

同じく、「**柱といふ字**」（『吟咄川《いまてせがわ》』一七七三〔安永二〕年）は、「柱」の字を空中に書きながらの会話である。

「コレ、柱といふ字は、どう書く」、「ウン、アノ柱といふ字は、木へんをして、主《ぬし》といふよ」と、宙へ書いて見せる。「コレてめへ、畳の上へでも書いてなら、そうあとで消してしまふがよいに、宙へ書いて、またあとで消すことがあるものか。ばかくしい」、「インニヤ、消しておくがよい」、「ナゼ」、「人がつきあたる」

14

柱という字を空中に書いて教えたあと消す動作をしたのであろう。実際に畳の上に書いたならば消すだろうが、空中ならばその必要はないだろうという相手に、人が当たるといけないと答える。日常的に字を尋ね教える習慣があったことがわかる。

「**江戸鑑**」（「吟咄川」一七七三〔安永二〕年）は、自身番（市中の自警制度）の下役人が本屋に『江戸鑑』（市制一覧）を借りに行く話である。

> 「コレ八右衛門、こんたはちょと、向ふの本屋へ行って『江戸鑑を、ちょと、お貸しなすってくださへ』と言って、借りてきてくださへ」、「アイ」と向ふの本屋へ行って、「申シへ、自身番から参りやしたが、どうぞ江戸鑑を貸しておくんなさんやし」、「ハア、江戸鑑はなかったわへ。また自身番で江戸鑑をなんにするやら」、「大方、ひげでも抜くのでござんしゃう」15

本屋で『江戸鑑』の用途を聞かれて、「鏡」だから髭抜きに使うのでは、と答えている。本屋・貸本屋なども文字文化を支えていたのである。

町人のリテラシー

江戸のさまざまな町人たちのリテラシーも見ておきたい。

「**書判**」（「噺稚獅子」一七七四〔安永三〕年）は、古道具屋の話である。

> 無筆の古道具屋、女房に帳面をつけさせます。あるとき、唐絵の皿を買ひました。「この箱の蓋へ大文字に書き付けしやれ」といふ。女房、書きました。大文字に書いたゆへ、皿といふ字があまり、脇へ皿といふ字を書き、亭主に見せければ、「ヲヲよく出来たが、書き判はいらぬものだ」16

古道具屋の主人は字が書けないために、いつも女房に帳面を付けさせていた。あるとき中国製の皿を買い、箱の蓋に大きい字で皿の銘を書くように指示した。ところが、女房は大きく書きすぎ、最後の皿の字を脇に書いた。これを見た主人は花押と間違え不要と言ったという話である。古道具屋の主人らしい間違いであるが、日頃女房が帳簿を付けていたこと、箱書きしていたことは注目される。

「**おつけ**」（「笑談聞童子」一七七五［安永四］年）は、鳶職人（あるいは火消か）が、飯屋の台所に張ってある献立書を見て、なんという字かと尋ねる。

> 鳶の者、御だい所へあがり、張りてある献立をよんで見る。「もしへ、此字は何といふ字だへ」、「ヲ、、それはしるといふ字さ」、「ハ、アどふりで、おつけのけの字がある」[17]

尋ねられた相方が「汁」と答えると、鳶職人は、なるほど「おつけ（味噌汁）」の「け」の字があると納得するのである。庶民の食事処にメニューが張ってあり、字の読めない者も仮名の「け」は知っていたことがわかる。また、自然体で尋ね教えられる環境も知られる。

水戸の本屋「須原屋安次郎」が出版していた教科書（水戸市立博物館蔵）

五渡亭国貞『浮世名異女図会』より「江戸町芸者」（江戸後期、国立国会図書館蔵）

遊女・芸者のリテラシー

社会の周辺に生きていた遊女・芸者たちの話もある。

「**傾城の学問**」（「萬の宝」一七八〇［安永九］年）は、そのなかでも、比較的身分の高い遊女の話である。学問熱心な傾城《けいせい》（高級遊女）が本を読んでいると、禿《かむろ》（遊女見習いの幼女）が何のために学問をするのか尋ねる。

傾城に学問を好みたるある。つねに唐机などかまへ、孔雀の尾を卓下《しよくした》に立て、南京《なんきん》の肉入《にくいれ》など、ぎやうさんに飾りたて、いろ〳〵の書物を読みけるところに、あるとき、かの女郎の禿《かぶろ》申しけるは、「なんのために学問とやらをしなんす」と聞く。女郎「学問は天地のことを知り、くもりたる月は晴れ、ふさぎたる胸も開く」と物語る。かの禿、しばらくして、廊下よりいそぎ来り、「おいらんのさっきの学問をくんなんし」といふ。「ばからしい。学問をなににする」、「客衆が癪が越りんした」

18

遊女は「世の中のことがわかり、胸の詰まることがなくなるから」と答える。すると、のちに禿がやってきて学問が欲しいという。理由は、客が癪になったからという。ここでは、遊女が自らの部屋を書斎とし、多くの本を読む意味も記されている。

「**紙**」（「御伽草」一七七三［安永二］年）は、夜、二人の芸者が仕事を終えての帰り道、一人が便意をもよおしたが紙がなかったことから始まる。

芸者、ざしきを仕廻て帰りに、「私はいっそ大便《こうか》(後架)に行きたい。ハア、紙がない。そのけいこ本の口(最初)一枚、ここは白紙じゃから、これで、これで」と、ふき帰り、明日《あくるひ》、また、二人づれでそこを通り、「ゆふべ、おまへがおこまりなさったところは、ここらであった」といふ。みれば、かの紙に、この主ぎん。

19

ちょうど稽古本を持っていてその最初の頁が白紙であるのでこれですませた。ところが、翌日その道を通ると相方の芸者が、あなたが夕べ困ったのはここでしたねと言った。見ると、昨夜の紙に、この持ち主はぎんと、自分の名前が書いてあったという話である。芸者が稽古本を使っており、紛れないように、実は最初の頁に自分の名前を書いていたことがわかる。

手帳と手紙

「**手帳**」(「今歳花時」一七七三〔安永二〕年)は、行倒れ人が手帳を持っており、いろいろな場所で行倒れた時の扱いが記録されていた話である。

宿なしの行倒れ、色々にして見ても立って行かぬ。大屋衆立合ひ、かれこれいふ内、ふところを見たれば、行倒れ覚帳といふ書付、引き出して見たれば、「何丁そば五ツ。何丁飯三ぜん、何丁灸ばかり」

20

都市下層民と思われる行倒れ人が、自ら手帳に記していたのである。

「**手紙**」(「高笑ひ」一七七六〔安永五〕年)には、書状に関するリテラシーが描かれる。天から落ちて腰を痛めた雷様が、心配した住民に「天に戻れないので、住民に手紙を書いて迎えを呼んでほしい」と頼む。

> 雷落ちて腰が抜ける。近所の寄り合ひ「どふなされた」と問へば、「怪我をして、この分にては、天上登られず、何とぞ迎ひを呼びに手紙を遣りたい。書いてくだされ」といふ故、「何と書きます」、「一筆啓上申し候」、「そのつぎはな」、「ひからば」
> 21

住民に、なんと書くかと問われた雷様は「一筆啓上申し候」の定型の書き出しに続けて、本来は「然《しか》らば」と続くところを、雷なので「ひからば」と言ったという落ちである。庶民が書状の定型句を知っていることが前提の話である。

算術のリテラシー

最後に、数学に関するリテラシーについて見たい。一六二七（寛永四）年に刊行され、江戸時代を通じて広く普及した算術入門書の吉田光由『**塵劫記**』には、「二割引き、うちは八にてかくるさん」、「二割まし、そとは十二をかけてよし」と、二割引き、二割増しの計算方法を示している。この前提として、乗除の原理を知っていなければならない。

同じく「ねずみ算」の項目には、次のような超難問が記されている。

> 正月にねずみいでゝ子を十二ひきうむ、おや共に十四ひきに成也、此ねずみ二月には子も又子を十二ひきづゝうむゆへに、おやともに九十八ひきに成、かくのごとく月に一度づゝおやも子も孫もひこも月々に十二ひきづゝうむ時、十二月の間になにほどになるぞといふ。
> 22

これを、数式で示すと、一月は、ねずみ一組が一二匹生むので子と親で一四匹、二月は一四匹が七組のペアとなり八四匹を生むので、これに親一四匹を加え合計九八匹。以下、これを繰り返し、一二月には「二百七十六億八千二百五十七万四千四百二疋に成也」と答えが示される。当時は電卓やパソコンはなく、算盤と算木（計算用具）のみで解いた。使う数字はもちろんアラビア数字ではなく、漢数字である。

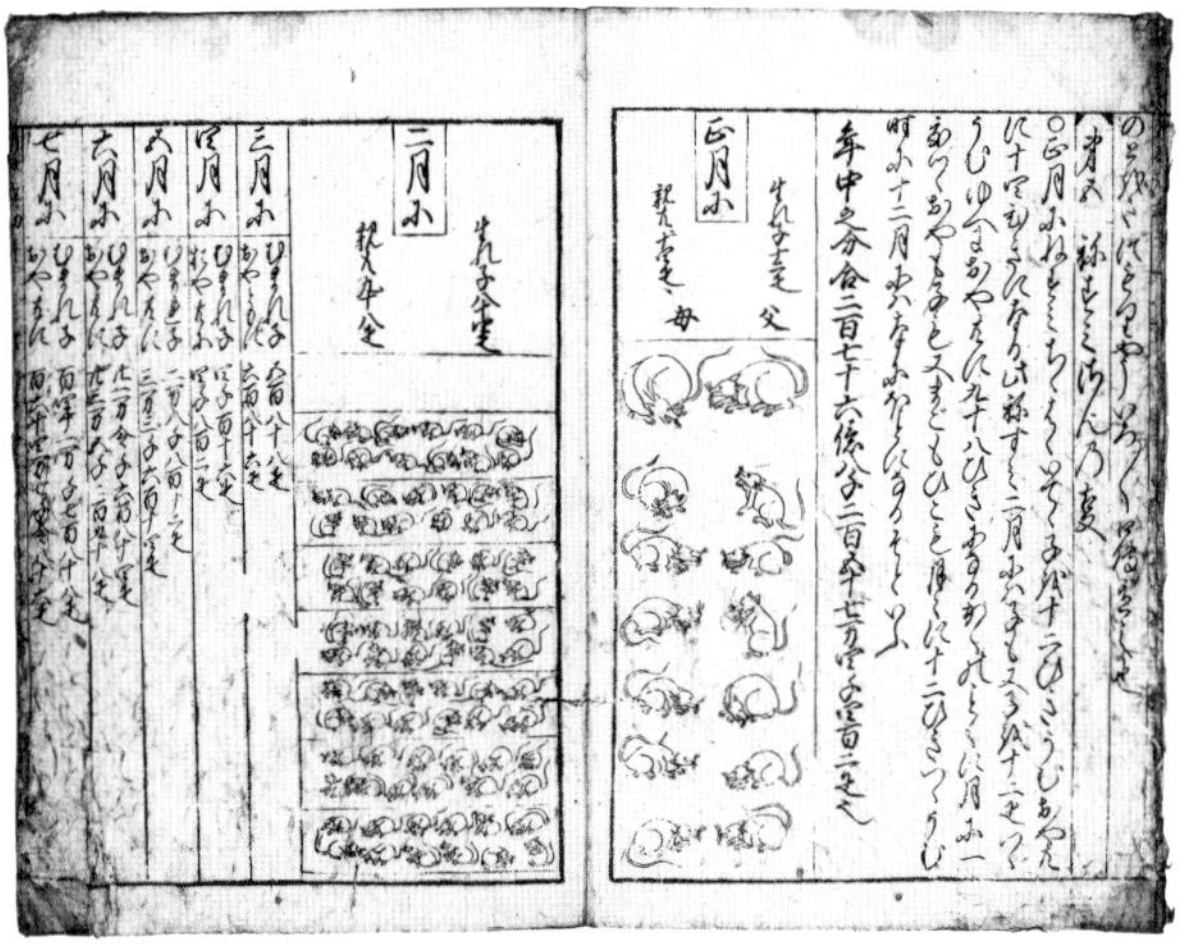

吉田光由著『塵劫記』の類書『新編塵劫記』（1669年刊、中井家蔵）より「ねずみさんの事」　画像提供：立命館大学ARC（nakai0015）

笑いを共有する社会

以上、江戸時代に刊行され、広く社会に普及した小咄を例に、その内容から当時の庶民が、年齢や性別、さらには階層・職業の違いを超えて、読み書きのリテラシーを身につけていたこと、またその社会的環境があったことを明らかにした。これらの小咄が、笑いを伴うことも注目したい。冒頭紹介した来日外国人が驚き称賛した近世日本の長期の「平和」と「文明化」は、こうした「笑い」を共有する社会による文化・教育の発展を基礎に達成されたのである。

註

1『匏庵遺稿1』日本史籍協会編、東京大学出版会、一九七五年

2 大石学『江戸の教育力』東京学芸大学出版会、二〇〇七年、同『新しい江戸時代が見えてくる』吉川弘文館、二〇一四年

小咄出典一覧

1『江戸小咄集1』一三五頁
2『江戸小咄（続）』八七頁
3『江戸小咄集2』三〇頁
4『日本小咄集成』上巻、一九六頁
5『江戸小咄集2』三五頁
6『江戸小咄（続）』二七六頁
7『江戸小咄集2』一〇〇頁
8『江戸小咄集2』二二八頁
9『江戸小咄集2』二八頁
10『日本小咄集成』上巻、二六三頁
11『江戸小咄』三五頁
12『日本小咄集成』下巻、一〇六頁
13『江戸小咄』一七六頁
14『日本小咄集成』中巻、二五六頁
15『日本小咄集成』中巻、二五八頁
16『江戸小咄（続）』九六頁
17『江戸小咄集2』三七頁
18『日本小咄集成』下巻、一一七頁
19『江戸小咄』二一六頁
20『江戸小咄』二四九頁
21『江戸小咄（続）』一三九頁
22『新編塵劫記』

『日本小咄集成』上巻、中巻、下巻、浜田義一郎・武藤禎夫編、筑摩書房、一九七一年
『江戸小咄集1』『江戸小咄集2』宮尾しげを編注、東洋文庫、一九七一年
『江戸小咄』（一九七三年）、『江戸小咄（続）』（一九七六年）興津要編、講談社
『新編塵劫記』吉田光由著、寛文九（一六六九）年刊、中井家蔵

咸宜園 秋風庵の内観。廣瀬淡窓など歴代塾主が居宅として利用し、武士や庶民に門戸を開いた

第四章

教育遺産の魅力と世界遺産登録への取り組み

弘道館と偕楽園の魅力

教育遺産の視点から

藤尾隆志
水戸市歴史文化財課世界遺産係長

はじめに

水戸は、近世初期から学問の盛んな地であった。水戸藩第九代藩主徳川斉昭《なりあき》の時代に一層盛んになり、一八四一（天保一二）年、斉昭は水戸城三の丸に藩校弘道館を創設する。

斉昭が弘道館とあわせて開園したのが偕楽園である。偕楽園には梅林が整備され、藩主やその家族だけでなく、多くの人々が利用することができた。

明治以降、水戸城跡周辺は文教地区になるとともに、弘道館で学ばれた北辰一刀流や水府流水術が伝わる。また、偕楽園の梅林は水戸の象徴となり、偕楽園を中心に毎年開催される「水戸の梅まつり」は今も賑わいを見せ、水戸の風物詩となっている。

本稿では、弘道館と偕楽園の原点ともいえる水戸藩の学問の歴史に触れながら、弘道館や偕楽園の魅力について、教育遺産の視点からとりあげ、あわせて現代まで水戸に続く学びの伝統や現在の取り組みについて紹介したい。

水戸藩の学問の歴史

水戸藩第二代藩主徳川光圀は、藩政の確立に努め、文教政策を積極的に進めた。日本の歴史書（光圀死後『大日本史』と命名）の編纂事業を進めるため、江戸藩邸次いで水戸城二の丸に彰考館を設けるとともに、優れた学者を全国から招き、長崎にいた中国（明）の学者朱舜水を招いた。

水戸彰考館では、学者による儒学の講釈が藩士やその子弟に行われ（「史館講釈」）、藩校の役割を担った。また、一七一二（正徳二）年に江戸の朱舜水宅跡の祠堂が水戸城下に移築され、その附属講堂で藩士や領民を対象に祠堂守による講釈が行われた。

近世後期になると、水戸城下に多くの家塾が設けられた。水戸を代表する学者藤田幽谷は水戸城下の町人出身で、彰考館総裁立原翠軒《たちはらすいけん》の家塾で学び、翠軒の推挙で彰考館に勤めることになり、やがて彰考館総裁になった。江戸時代は身分に関わらず学ぶ機会を得ることが可能であり、水戸藩も例外ではなく、有能な人物は藩士にとりたてられることもあった。郊外の成沢村では、郷士加倉井《かくらい》砂山《さざん》が北関東最大の私塾日新塾を営み、多彩な人材を輩出した。

一方全国に目を向けると、幕府と諸藩は財政難に苦しみ、各地で一揆や打ちこわしもおこった。日本近海に欧米列強の船が姿を現し、「鎖国」を国是とする幕府に開国を求めた（「内憂外患」）。水戸藩でも藩財政は厳しく、一八二四（文政七）年には大津浜（現北茨城市）にイギリス人が上陸する事件が起こった。

このようななか、一八二九（文政一二）年、水戸藩第九代藩主に就任したのが徳川斉昭である。斉昭は藩政改革の一環として新たに学校を建設して人材育成を図った。まず、領民が学べる場として領内に四つの郷校を設けた。

近世日本最大規模の藩校弘道館

斉昭は、藩士の教育施設として大規模な藩校創設を計画した。財政難から創設に否定的だった重臣たちを押し切り、水戸城の三の丸にあった重臣屋敷を取り払って、藩校造成のための広大な土地を確保した。斉昭は側用人で弘道館掛だった藤田東湖（幽谷嫡男）と建学の精神を述べた「弘道館記」の草案をまとめ、ついで幕府の儒学者佐藤一斎に意見を徴し、その上で彰考館総裁の青山拙斎《せっさい》と会沢正志斎に意見を求めた。完成した「弘道館記」を大理石に刻んだ「弘道館記碑」は八卦堂《はっけどう》に納められ、藩校の中心部に配置された。「弘道館記」には、神儒一致、忠孝一致、文武一致、学問・事業一致、治教一致という建学方針が示された。

一八四一（天保一二）年、弘道館が仮開館した。仮というのは、校内に設置する鹿島神社に祀る武甕槌神《たけみかづちのかみ》の鹿島神宮からの分祀遷座《ぶんしせんざ》が済んでおらず、孔子廟《こうしびょう》には孔子神位《しんい》の安置が済んでいなかっ

徳川光圀が開始し、明治時代に完成した『大日本史』（水戸市立博物館所蔵）

弘道館記碑

記碑を納めた弘道館の八卦堂

ためである。本開館は一八五七（安政四）年であった。水戸の弘道館の面積は約一〇・五ヘクタールに及び、藩校の敷地として全国最大規模を誇る。一八四三（天保一四）年には江戸小石川の藩邸内に文武の教場を併設し、江戸弘道館と称した。

施設の配置にも建学精神をみてとることができる。敷地中央には八卦堂近くに鹿島神社と孔子廟が併置された。前者は日本の神で武の象徴、後者は儒学の創始者で文の象徴であり、神儒一致と文武一致を体現する存在だった。また、藩主が臨席する正庁（学校御殿）を中心に北に文館、南に武館を配置して、文武一致に即した工夫が凝らされた。

正庁の南には武術の試験を行う対試場が設けられた。また正庁と接続して、藩主家の子弟が学ぶ場であった至善堂［13頁］（明治維新の際、徳川慶喜が一時謹慎した場としても知られる）が置かれた。武館の南には天文方や天文台が、西には医学館が置かれた。敷地の西側は馬場と調練場が設けられた。

さて、近世日本の教育遺産群の特徴として次の三点があげられる。

・身分・年齢・地域を超えた主体的な学び（教育理念）
・漢学を基盤にした和洋におよぶ多様な学びの実現（空間と設備）
・自然や地域と共生する環境（立地）

これは教育遺産群全体を俯瞰することで見えてくる特徴であり、個別の資産では当然強弱の差はあるが、弘道館では三点いずれの性格もみることができる。

一点目の教育理念について、弘道館の文館と武館に入学できるのは水戸藩士のみだが、医学館では日を設定して、町医や領内の郷医が出席でき、医書の講釈や試験を受けることができた。

弘道館に入学できるのは一五歳からで、藩士の家格に関係なく弘道館の文館の入学試験に合格する必要があった（武館の試験はなかった）。入学時に学生は「講習生」と呼ばれ、成績優秀者は「居学生」、さらに「舎長」へと昇進した。弘道館の日課は家臣の格式によって異なるが、三〇歳以上及び職事ある者は半減、四〇歳以上になると全面的に免除となった。一方で希望者は引き続き弘道館で学ぶことが可能であった。卒業がなく、今日の生涯学習につながる考えともいえる。

二点目の空間と設備について、弘道館では文武一致の精神から文武兼修を目指したが、文についても儒学や国文学ばかりでなく、歌道、数学、音楽、医学、薬学、天文学など多様な学問を学ぶことができた。今日の総合大学のような性格を有したのである。学問・事業一致の精神のもと、斉昭は実学を重視した。また、正庁の縁側上部には、斉昭自筆の書「游於藝（げいにあそぶ）」の扁額が掲げられた。芸とは礼（礼儀作法）・楽（音楽）・射（弓術）・御（馬術）・書（習字）・数（算術）の善性を養う要素である六つ（六芸《りくげい》）であり、武芸に凝り固まらず悠々と芸の道を究めるという意味を表している。

武道も熱心に指導された。斉昭は剣術を推奨し、特に北辰一刀流は創始者千葉周作が江戸で水戸藩に召抱えられたことから全盛を極め、千葉門下の海保帆平が弘道館で剣術を指導した。また、水戸藩では江戸時代初期から「のし泳ぎ（横向きで泳ぐ方法）」を基本とする古式泳法が二つの流派（上町・下町）に分かれて発達していたが、斉昭はこの二つを合わせて「水府流水術」と命名し、弘道館で学ばせた。弘道館敷地内では実技ができないため、水戸城の麓を流れる那珂川で練習が行われた。ほかにも、槍術・馬術・弓術・砲術など多岐にわたり指導された。

三点目の立地について、弘道館に入学するため、藩士は子弟を八、九歳から城下の家塾に通わせて勉学に励ませた。水戸藩は家塾に一定の扶持を与え、実質的な弘道館の初等教育としての役割を持たせた。家塾では領民・男女問わず学ぶことができた。また、後述する偕楽園を弘道館の一対の施設とし

弘道館の中心的建造物、正庁（学校御殿）

弘道館の徳川斉昭自筆扁額「游於藝」

弘道館の諸役会所。来館者の控えの部屋

て整備した。こうして、弘道館を中心とする教育と学びを水戸城下やその周辺で支える体制を整えた。

弘道館の在り方は、全国の諸藩に注目された。庄内藩（致道館）、松代藩（文武学校）［16頁］、福山藩（誠之館《せいしかん》）などは藩校運営にあたり弘道館を参考にした。また、鳥取藩は斉昭実子の池田慶徳《よしのり》が藩主となり、弘道館をモデルに藩校を整備した（尚徳館）。弘道館は近世日本の藩校の代表例といえる存在だった。また、長州藩の吉田松陰は水戸藩の学問に興味を持ち、藤田東湖や会沢正志斎ほか弘道館関係者と交流を深め、実際に水戸を訪れた。

休養の場、偕楽園

偕楽園は、弘道館創設の翌年の一八四二（天保一三）年、徳川斉昭自らの設計により千波湖岸の景勝地に造成・開園され、約一八ヘクタールという広大な敷地を有した。

一八三三（天保四）年、藩主に就任した斉昭が水戸に初入国して領内を巡視した際、領内の優れた八つの景勝地を水戸八景と定めた。城下近くの七面山から千波湖を望む景観をその一つに選び、翌年七面山に「僊湖暮雪《せんこのぼせつ》」碑を建てた。また同山に梅樹を栽培し、梅干しを製造して軍用に備えることを命じた。梅には「好文木《こうぶんぼく》」との異名があり、学問を象徴する木として知られ、光圀は「梅里」と号し、斉昭は「好文」の呼び名を使用した。水戸の学問の興隆を斉昭が願って植樹した意味合いも大きいだろう。

一八三六（天保七）年、斉昭によって偕楽園の創設理念を記した「偕楽園記」の草稿ができ、それを石碑にした「偕楽園記碑」が一八三九（天保一〇）年建立された。一八四一（天保一二）年に七面山に置かれていた祠堂（七面堂）が他所に移されると庭園の整備が始まり、斉昭自ら設計した数寄屋風の建物「好文亭」の設営を進めた。翌年の好文亭完成を待って、偕楽園が開園した。本園の対面の丘

偕楽園の表門

偕楽園記碑、徳川斉昭の書「一張一弛」を刻む

偕楽園の好文亭。梅林と千波湖が一望できる

に桜を植樹し（桜山）、休憩所の「一遊亭《いちゆうてい》」を整備した。

偕楽園記碑には、偕楽園の名前の由来として「衆とその楽しみを偕《とも》にしようとするものである」と記されている。偕楽園が開園した同年九月、斉昭は藩内の老人を身分男女なく招き、養老の典を催した。また、藩内の文化人たちを集めて好文亭で詩会を行った。多くの大名庭園が藩主やその家族しか利用できなかったことを考えると、多くの人々が利用できる場であった偕楽園の特殊性が理解できる。また、偕楽園記碑には「一張一弛」（緊張と休養）の文字が刻まれ、修学と休養の両立の必要性を示した。「張る場」である弘道館が学校ならば、「弛む場」である偕楽園は社会教育施設と捉えることができる。

表門から入って一ノ木戸門を潜り、奥に進むと大杉森が見えてくる。そして大杉森を抜けると好文亭が姿を現して一面に梅林が広がり、遠くに千波湖を望むことができる。自然環境の中に身を置くことによって修養を深め、弘道館とともに六芸を実践する場であった。

先述の近世日本の教育遺産群の特徴からみると、偕楽園は身分・年齢・地域を超えた主体的な学びを実現する場であるとともに、弘道館の特徴である漢学を基盤にした和洋におよぶ多様な学びの実現を、豊かな自然で支える役割を担ったといえるだろう。

明治から戦前までの弘道館・偕楽園

一八六八（明治元）年一〇月一日の弘道館の戦いで、弘道館では文館・武館といった多くの建物が焼失した。一八七二（明治五）年、新政府により学制が発布されて、弘道館が藩校としての役割を終えると、同年から一八八二（明治一五）年まで、正庁は茨城県庁として使用された。その後跡地の半分は県庁の敷地に、残りの弘道館の建造物が残る区域は一八八五（明治一八）年に茨城第二公園（水戸公園）となった。一八九五（明治二八）年に公園の一部が水戸市高等小学校（現三の丸小学校）に分割され、公園に残る弘道館の建造物も、近隣の幼稚園や学校の分教室・仮教室になり、教育施設として継続的に利用された。

弘道館の教えを後世に伝えるための活動も始まり、弘道館関係者によって私塾自彊舎《じきょうしゃ》が創設された（現在の茨城高等学校・中学校）。また、一八七四（明治七）年、弘道館剣術方教授だった小澤寅吉が弘道館近隣に水戸東武館を開き、北辰一刀流を指導した。水府流水術は明治以後複数の団体が誕生して那珂川に練習場を設けた。

偕楽園は、一八七三（明治六）年、光圀と斉昭を祀る常磐神社《ときわじんじゃ》創建のため、梅林の東側約三・六ヘクタール（＝約三万六三〇〇平方メートル）を割譲し、残り約一四ヘクタールが「常磐公園」となった（一九三一（昭和六）年に「偕楽園公園」と改称）。一八九七（明治三〇）年からは「水戸の梅まつり」が開催され、水戸の一大行事となっている。

千波湖から偕楽園を望む

弘道館の正門。弘道館の戦いでの弾痕が残る

弘道館の孔子廟。1945年の空襲で孔子廟は焼失したが（1970年再建）、戟門は類焼を免れた

一九四五（昭和二〇）年八月の水戸空襲で、水戸の市街地の約七割が焼失し、弘道館では鹿島神社や、孔子廟、八卦堂が、偕楽園では好文亭や奥御殿といった主要な建造物が焼失した。一方、弘道館正庁、至善堂、正門、弘道館記碑、要石歌碑、種梅記碑、孔子廟戟門、学生警鐘といった建造物は焼失を免れた。正庁も屋根に類焼したが、地元の人々が危険をかえりみず消火活動を行い、焼失を免れたという（弘道館・小圷のり子氏の調査）。偕楽園も入口の長門や偕楽園記碑、梅林の全焼は免れた。

戦後の弘道館・偕楽園

戦後、弘道館では焼失した建造物の復元が進み、八卦堂や国老詰所、そして孔子廟が古写真や資料などをもとに当初の姿に再建された。また、鹿島神社は一九七四（昭和四九）年、伊勢神宮の式年遷宮にあたり、内宮境内別宮の風日祈宮の旧殿一式が移築された。創建当初と姿が異なるが、伊勢神宮の建築様式神明造《しんめいづくり》を伝える貴重な建造物である。

市立三の丸小学校では、一九六六（昭和四一）年より「弘道館学習」を開始し、弘道館内で児童が弘道館職員やボランティアから弘道館について学ぶ機会を設けている。さらに、弘道館の至善堂で地元有志が論語を学ぶ論語塾が開催されている。

偕楽園では、一九四七（昭和二二）年に梅まつりが再開、一九五八（昭和三三）年には好文亭と奥御殿といった主要建造物が復元された。奥御殿はその後落雷で再度焼失したが、改めて復元された。また、地元の新聞社などの呼びかけで募金やボランティアが集まり、戦時中に伐採された梅林などの再生・整備が進められ、官民協働で偕楽園の復興が進められた。偕楽園の梅は水戸の人々のアイデンティティとなっていた。

梅まつりなどの祭り期間中には、市民団体による茶道、邦楽、俳句などの伝統芸能が行われている。また、一九九七年より市民によるボランティア活動で、「歴史アドバイザー水戸」が弘道館、偕楽園などで現地解説を行うようになり、市民の主体的・積極的な活動が梅まつりを支えている。

水戸東武館では今も多くの子弟が稽古に励んでいる。水府流水術は一九七〇（昭和四五）年、各教場が集い新たに「水府流水術協会」が設立され、古式泳法を伝えている。

世界遺産暫定一覧表記載に向けて

二〇〇七年、水戸市は茨城県とともに、文化庁に「水戸藩の学問・教育遺産群」を世界遺産暫定一覧表の候補物件として提案した。その後、本市と足利市・備前市・日田市と共同で世界遺産を目指す

弘道館の鹿島神社。戦後伊勢神宮より特別譲渡され移築

水戸東武館

正庁前の対試場で武道演武を行なう水戸東武館の人々

ことで協議が進められ、「教育遺産世界遺産登録推進協議会」（以下「協議会」）が発足し（備前市の正式加入は二〇一五年度）、教育遺産群の世界遺産登録を目指す動きが加速することになった。

二〇一五年、文化庁が公募する日本遺産制度にて、協議会が提出した「近世日本の教育遺産群　学ぶ心・礼節の本源」が日本遺産第一号に認定された。文化遺産の保護を目的とする世界遺産と、日本に点在する文化遺産を掘り起こし、地域活性化につなげる日本遺産は異なる制度だが、教育遺産群への関心が一層高まる契機となった。

水戸彰考館跡に建つ市立第二中学校では、二〇一五年度より「魁・二の丸隊」を結成し、弘道館や水戸城跡周辺、偕楽園などで生徒が解説ボランティアを行っている。また、二〇二〇年には弘道館の向かいにあった水戸城大手門が復元されるとともに、水戸彰考館跡に建つ水戸城跡二の丸展示館が、教育遺産群を紹介する展示内容にリニューアルした。弘道館から大手門を通り、二の丸展示館を見学する周遊コースが整えられたことで、教育遺産群に興味をもつ人々がより増えることが期待される。

今後も官民協働で教育遺産群の世界遺産登録への機運を高めるとともに、弘道館と偕楽園が、世界遺産としての価値を有することを証明するべく、調査研究を深めていく必要がある。

参考文献
鈴木暎一『水戸弘道館小史』文眞堂、二〇〇三年
鈴木暎一『人物叢書　徳川光圀』吉川弘文館、二〇〇六年
水戸市教育委員会編『近世日本の学問・教育と水戸藩』水戸市役所、二〇一〇年
水戸市史編さん委員会編『水戸市史　下（一）』水戸市役所、一九九三年
水戸市史編さん委員会編『水戸市史　下（二）』水戸市役所、一九九五年
水府流水術協会編『水府流水術　歴史と泳法』一九九九年
水戸東武館一三〇年誌編集委員会編『水戸東武館一三〇年誌』水戸東武館、二〇〇九年

近世の学校の原点、足利学校

久保賢史
足利市文化課主幹

はじめに

足利市は、足尾山地から連なる山々と関東平野が接するところに位置する。北は、山が幾筋もの尾根をつくり、南は沖積平野が広がり、その中央を西から南東へ渡良瀬川が流れている。

古代には、主要道である東山道駅路《とうさんどうえきろ》が通り、地域の拠点として発展した。平安時代の末、源氏の一族が移り住み、地名である「足利」を名乗るようになる。やがてその子孫である足利尊氏が鎌倉幕府を倒し室町幕府を開いたことは、歴史の教科書に載るところである。

市の中心部には、尊氏の六代前の先祖にあたる足利氏二代義兼《よしかね》が居館とした史跡足利氏宅跡がある。周囲を堀と土塁で囲まれた約四万平方メートルの空間は中世地方武士の居館の姿をよくとどめ、「日本百名城」にも選ばれている。館は、その後、足利氏の氏寺鑁阿寺《ばんなじ》となり、国宝の本堂を始め鎌倉時代の建物を中心とした堂塔《どうとう》伽藍《がらん》が残り、市民の憩いの場ともなっている。

なお、鑁阿寺から鬼門《きもん》にあたる北東の方角には、義兼の廟所である史跡樺崎寺跡《かばさきでらあと》がある。長年の発掘調査の成果に基づき現在、復元整備を行っており、中世の浄土庭園が甦った。また、義兼入定《にゅうじょう》

（生きながら仏になること）の地と伝えられる場所があり、その上には、現在、樺崎八幡宮本殿が建っている。

市内には、他にも、源義家が奥州遠征（前九年の役）の途時勧請《かんじょう》したと伝わる下野國一社《しもつけのくにいっしゃ》八幡宮や足利氏三代義氏《よしうじ》の菩提寺である法楽寺《ほうらくじ》、四代泰氏《やすうじ》の智光寺《ちこうじ》跡、五代頼氏《よりうじ》の吉祥寺《きちじょうじ》など、源氏や足利氏にゆかりのある寺社等が数多く残っている。

左：足利学校、右：鑁阿寺、左上：渡良瀬川

近世以降になると、足利市は、織物のまちとしても全国に知られるようになる。朱塗りが鮮やかな織姫神社をシンボルに、織物産業が栄えた時代の建物が街並みに独特の風情を添えている。

足利学校は、先ほど述べた鑁阿寺の南東に隣接している。上空から見ると、足利学校・鑁阿寺は都市に浮かぶ緑のオアシスのようである。

足利学校の起源

「日本最古の学校」として知られる足利学校であるが、その始まりについては実はよくわかっていない。様々な説がある中で代表的なものが三つある。

一つは、奈良時代の地方教育機関である国学《こくがく》の遺制であるとする説である。通常、国学は国府《こくふ》（古代の国ごとに置かれた役所）に併設されるもので、足利に国府があったという記録はないが、「国府野《こうの》」という地名が残っていることなど謎の多い説である。

二つ目は、平安時代初期の公卿《くぎょう》であり学者でもあった小野篁《おののたかむら》（八〇二～八五二）が創建したとする説である。篁が上野国司《こうずけこくし》の時、又は陸奥守《むつのかみ》として下向する際創建したとするものだが、これもなぜその地が足利だったのかという理由が謎である。ただし、この説は、江戸時代には定説となっており、篁の末裔と称する人見雪江《ひとみせっこう》が江戸時代中期の一七四六（延享三）年に制作・寄進した小野篁坐像が、現在も足利学校孔子廟（大成殿）に安置されている。

三つ目は、鎌倉時代初期、足利義兼が一族の子弟のためにつくったとする説である。義兼は、鎌倉幕府初代将軍源頼朝とは姻戚関係にあり、頼朝の信頼も厚く、足利氏が発展する基礎を築いた人物である。実際に儒学や仏教の振興に非常に熱心な人であったようで、現在、この説を支持する人は多い。

しかし、いずれの説も裏付けとなる資料は乏しく、学校の存在が明らかになるのは、室町時代中期以降である。

足利学校中興の祖、上杉憲実

関東管領上杉憲実《うえすぎのりざね》は、一四三九（永享一一）年、足利学校に漢籍、学田を寄進、鎌倉五山《ござん》の一つ円覚寺《えんがくじ》の僧といわれる快元《かいげん》を招き初代庠主《しょうしゅ》（校長）【註1】とし、その頃衰退していた足利学校を再興している。憲実やその子の憲忠《のりただ》が寄進した中国南宋時代に出版された書物は現在も伝わり、国宝や重要文化財となっている。

憲実は、さらに一四四六（文安三）年に「学規三条《がっきさんじょう》」という校則を定め、学校の在り方を規定した。その内容は、儒学以外の学問を禁じたこと、入学者は必ず僧衣を身に着けること、向学精神を失わず常に学業に努めることである。いずれも、守らない者には永久追放や財産没収などの厳しい罰則があるとしている。仏教などの宗教とは一線を画し、純粋に学業に専念する環境を整えるとともに、僧衣の着用については、戦乱から学校や学徒を守るための方策でもあったと言われている。

発展の時を迎えた足利学校

上杉憲実の中興のしばらく後、足利学校はその場所を移したことが記録に残されている。室町時代に成立した歴史書『鎌倉大草紙《かまくらおおぞうし》』【註2】には、一四六七（応仁元）年のこととして「足利学校は足利庄代官長尾景人《ながおかげひと》によって政所《まんどころ》より今の所に移し建立しける」とある。長尾景人が足利に入部したのはその前年で、岩井《いわい》山城《さんじょう》（勧農城《かんのうじょう》）を居城とした。その城の北に広がる「勧農《かんのう》」と呼ばれた地から、北西に約一五〇〇メートル離れている現在の足利学校の地に移転したとされ、「勧農」には、国学起源説でも述べた「国府野」という地名や「学校《がっこう》地先《ちさき》」という地名が残っている。しかし、元あった詳しい場所は現在も不明である。

　この頃から、足利学校は発展の時期を迎える。一五世紀末の記録は、応仁の乱以後、各地の学問所が衰退する中、足利学校だけが日本全国より学徒が参集した隆盛ぶりを伝えている。そして、一六世紀中頃、第七世庠主九華《きゅうか》の時代に最盛期を迎える。

　一五四九（天文一八）年に来日したイエズス会宣教師フランシスコ・ザビエルが、同年、インドのゴアにある教会本部あてに送った書簡で、足利学校を「日本国中最も大にして最も有名な坂東《ばんどう》の大学」と紹介している。なお、ザビエルは実際に足利学校に来たわけでなく、上陸した鹿児島で伝え聞いたことを書簡にしている。遠く九州の地にまで足利学校の名声が響いていたことを物語っている。少し遅れて来日したルイス・フロイスも著書『日本史』の中で、「日本で唯一の大学であり公開学校（と称すべきもの）が坂東の足利と呼ばれる所にある。」と記している。また、一五七〇年初刊のオルテリウスの「東インド図」の日本地図上には、「Bandu（坂東）academia（大学）」の表記があり〔117頁〕、ヨーロッパにまでその名が知れ渡っていたことを示している。

　このころの足利学校の教育はどのようなものだったのか。入学に身分による制限はなく、修学期間も学習目的の達成による各自の判断であった。科目も当初は儒学のみであったが、時代の要請に応じて、他に医学、兵学、易《えき》学、天文学などの広範な分野の教育が行われるようになり、総合大学と言えるものとなっていった。特に易学は評判が高かったようである。

　著名な人物も世に出る前、足利学校に学んでいる。徳川家康の側近で寛永寺の開山でも知られる僧天海《てんかい》もその一人である。また、医学の分野では、近世医学の祖といわれる田代三喜《たしろさんき》と弟子の曲直《まな》瀬《せ》道三《どうさん》も足利学校で学んでいる。

　これら全国の学徒を惹き付けたものが豊富な書籍である。足利学校の名声が高まるにつれ、有力者から貴重な書籍の寄進が相次ぐようになった。上杉憲実寄進の国宝漢籍には、憲実の自筆で「足利学校公用　此の書を学校の閫外《こんがい》（しきいのそと）に出すことを許さず　憲実（花押）」と書かれている。学生たちは、まず、学問のテキストでもある書籍を学内で書写することから始めた。第七世庠主九華の頃の逸話が伝えられている。学生が読めない字や意味のわからない言葉を紙に書いて松の枝に結んでおくと、翌日にはふり仮名や注釈がついていたという。不思議に思った学生が夜こっそり見張っ

オルテリウス「東インド図」

拡大図

ていると、書いていたのは庠主の九華であったという。松はいつしか「字降松《かなふりまつ》」と呼ばれるようになった。松は代を重ね大切に守られ、現在も「字降松」の故事にちなみ、参観者や子どもたちの質問を受けている。

近世の足利学校

学徒三千といわれた最盛期の後、近世へ入る頃、足利学校は大きな試練にあう。それは、一二〇年以上の長きにわたり足利を治めていた長尾氏が、一五九〇（天正一八）年のいわゆる豊臣秀吉の小田原攻めで北条氏の味方をしたため、領地を没収され追放処分になってしまったことである。

手前から学校門、杏壇門、孔子廟（大成殿）

孔子坐像

長尾氏は、文化を愛好した一族としても知られる。近年話題のオンラインゲーム「刀剣乱舞《とうけんらんぶ》」の人気キャラクターである「山姥切国広《やまんばぎりくにひろ》」は、最後の当主長尾顕長《あきなが》が刀工堀川国広《ほりかわくにひろ》に打たせた同名の刀がモデルである。しかも、足利学校で打たれたものと考えられている。

長尾氏という最大の庇護者をなくした足利学校は、さらに一五九一（天正一九）年、この年関白になった豊臣秀次によって、貴重な書籍を京都に持ち去られてしまう。

その中で幸運だったのが、第九世庠主三要《さんよう》が徳川家康のブレーンとなり活躍したことである。このつながりのお陰で、徳川家康の尽力により一五九五（文禄四）年、秀次の切腹後、書籍は取り戻される。さらに家康は足利学校に百石の朱印を与え支援を行い、代々の将軍も同じく代替わりごとに百石の朱印を与えている。

こうした徳川将軍家とのつながりの中で、江戸時代の足利学校は幕藩体制に組み込まれ、実質的な官立（官営）学校となる。庠主も幕府の任命制になり、公的なことは幕府の許可が必要だった。

幕府の支配下に置かれた足利学校ではあるが、近世を通じて学校としての輝きを失うことはなく、その名声が衰えることはなかった。足利学校の「自由で開放的な学びと自学自習の精神」は、近世に設立された多くの教育機関の指標とされた。また、学生に対する講義も行われたが、膨大な数の貴重な書籍を求め日本全国から学者や研究者が訪れ、閲覧や研究をする「知のネットワークのセンター」でもあった。

足利学校には、各界の著名人も訪れている。徳川御三家尾張藩初代藩主徳川義直《よしなお》、儒学者の林羅《はやしら》山《ざん》、太宰春台《だざいしゅんだい》、画家の谷文晁《たにぶんちょう》、渡辺崋山《わたなべかざん》、幕末の志士吉田松陰、高杉晋作など多彩である。渡辺崋山が訪れたのは一八三一（天保二）年、彼の旅行日記『毛武游記《もうぶゆうき》』には、庠主が不在の隙に、孔子坐像（現栃木県有形文化財）の内部を覗き見て墨書銘を発見、それまで中国伝来と伝わっていた像が一五三五（天文四）年に国内で造像されたものであることがわかったという逸話が残る。なお、本像は国内現存最古の木造孔子坐像である。

近世における足利学校の施設の様子はどのようなものだったか。第四代将軍徳川家綱の時代、一六六八（寛文八）年、足利藩主土井《どい》能登守《のとのかみ》利房《としふさ》は、前寺社奉行井上《いのうえ》河内守《かわちのかみ》正利《まさとし》とともに諸堂宇を新築・修復させている。その際、井上は、中国の学問所などを参考に、敷地の西半分を孔子廟区域、東半分を学問所区域としている。この配置は、東西の違いはあるが、昌平坂学問所（湯島聖堂）や閑谷学校にも踏襲されている。足利学校のシンボル学校門や国内現存最古の孔子廟である大成殿［8頁］はこの時に建てられたものである。

その後、幕末までの間に、足利学校は二度の大きな火災に遭っている。一度目は、一七五四（宝暦四）年の落雷による火災で、方丈・庫裡以下学問所区域の大部分を焼失したが、幕府より金五百両を下賜され二年後には修復を終えている。二度目は、一八三一（天保二）年、近くの寺院火災による類焼で、同じく学問所区域の大部分を焼失している。この時は、幕府も財政難で、再建された建物は焼失前のものと比べてかなり小さかったようである。

こうした火災においても、孔子廟や文庫などは類焼をまぬがれ、現在約一万七千冊といわれる古書は守られている。

明治以降現在までの足利学校

幕府が終焉を迎え、明治に入ると、足利学校の経営は足利藩主戸田《とだ》忠行《ただゆき》に託されることになる。忠行は藩校求道館《ぐどうかん》を足利学校に併置し復興を目指した。しかし、一八七一（明治四）年に廃藩置県が行われると、学校事務は足利県へ次いで栃木県へ引き継がれたが、事務は行われず事実上の廃校になった。さらに、一八七三（明治六）年には校地の東半分が小学校敷地になり、建物は小学校校舎に転用された。足利学校の蔵書は県に移管となり、戸長《こちょう》役場に移され、東京書籍館《しょじゃくかん》（現国会図書館）に持っていかれることになっていた。この時、郷土の画家田﨑草雲《たざきそううん》【註3】が中心となり返還運動が起こり、これが実り一八七六（明治九）年に返還が実現した。

この後は、民間有志により校地の管理が行われ、保護活動のために寄付金を集め、蔵書を含めた学校跡の管理体制が着々と整備されるようになる。それは、校地が県から足利町に移管される一九〇二（明治三五）年まで続いた。

国宝漢籍

復元された足利学校

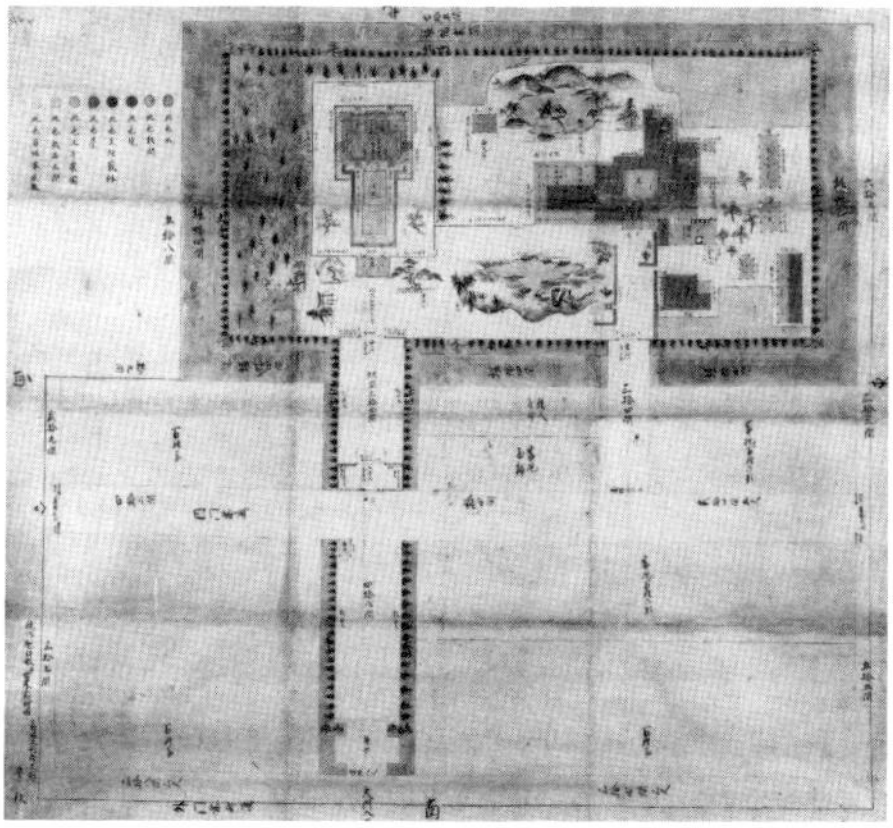
境内惣坪数並諸建立物絵図

小中学生論語素読体験（方文内）

曝書《ばくしょ》（書院内）

釋奠《せきてん》（孔子廟内）

町の管理となってすぐの一九〇三（明治三六）年、栃木県で最初の公立図書館である「足利学校遺蹟図書館」がつくられる。一九一五（大正四）年には、新築の建物に建て替えられ、一九八〇（昭和五五）年、栃木県立足利図書館（現足利市立図書館）の開館に伴い閉館するまで、多くの閲覧者に利用された。旧蔵書類の整理も着々と進められ、一九六七（昭和四二）年には新収蔵庫が完成した。一九二一（大正一〇）年、市制が施行されて足利市が発足した年、足利学校は国の史跡指定をうける。戦後には、貴重な書籍類が国宝、重要文化財に相次いで指定された。

昭和四〇年代、史跡の東半分を占めていた小学校の老朽化した校舎の建て替え問題が起こった。一二年間論議された末に、小学校は移転することになったが、これを契機に史跡整備への関心が高まり、復元整備事業が行われることになった。一九八二（昭和五七）年から七年間にわたり発掘調査が実施され、その考古学的成果と資料の検討をもとに復元作業は進められ、約一五億円の費用をかけ一九九〇年一二月に、方丈・庫裡・書院等の建物と庭園、堀、土塁など江戸中期の姿がよみがえった。この時、建物まで含めた復元を可能にしたのが、幕府へ修繕を出願した際の絵図および建物の仕様書である。特に、足利学校にその控えが残っている一七九一（寛政三）年作成の「境内惣坪数並《けいだいそうつぼすうならびに》諸建立物絵図《しょこんりゅうぶつえず》」は、一七五四（宝暦四）年の火災の後に修築した建物や庭園、堀、土塁の詳細をよく描いており、発掘調査の結果とよく合致していることから、この絵図が復元の基礎資料となった。

足利学校は、現在、史跡足利学校事務所が管理運営にあたっているが、維持管理以外にも、参観者を対象にした「日曜論語素読体験」や「漢字試験」、「書写体験（論語や元号）」、著名な大学教授等を招き講義する「足利学校アカデミー」や「儒学等教養講座」、市内の小中学生が対象の「論語素読体験」や「足利学校絵画大会」、「足利学校クイズラリー」、季節の催し物である「百人一首競技かるた模範試合」や「新春書初め会」など、足利学校の特長を活かした様々な活動を行っている。

秋には、古書の虫干しと点検を兼ねた「曝書《ばくしょ》」や、孔子をはじめとする儒学の先聖を祀る儀式「釋《せき》奠《てん》」が、公開で行われている。「釋奠」は、足利学校でも古くから行われていた伝統行事で、現在は毎年一一月二三日に実施され、併せて庠主講話・記念講演会も開催している。二〇一四年度からは、伝統文化の継承を目的として、九月に「こども釋奠」も行われている。

また、研究員等により足利学校資料の調査研究を進め、毎年「研究紀要」を発行するほか、旧足利学校遺蹟図書館内で企画展も行っている。

一九九四年には、現代版「庠主」を復活させ、初代庠主には中村元《はじめ》、二代には前田專學《せんがく》、三代には五味《ごみ》文彦が就任している。

おわりに

日本最古の学校である足利学校は、中世、我が国において最高水準の学問を学べる場であり、その優れた教育システムを近世へ橋渡しする役割も担った。近世においても、官立（官営）学校となり、我が国を代表する教育機関として存在し続けた。そして、現在も、自学自習の精神を伝える場として生き続けている。

足利市民憲章の一番目に「足利市は日本最古の学校のあるまちです。」と謳っている。「学校さま」と親しまれ、その敬慕の念は足利市民の心に脈々と息づいている。

世界遺産登録に向けた経緯および日本遺産の認定については、水戸市が詳述しているので、ここでは割愛するが、今後もさらなる活動を続け、三市の構成資産とともに世界文化遺産となり、我が国が誇る近世の教育並びにその遺産を全世界に広く紹介できるようにしたい。

註

1 「庠《しょう》」は「まなびや」の意味をもつ漢字。「庠主」は学校の最高責任者、つまり校長を指す。足利学校では、一八六九（明治二）年退任した謙堂元益《けんどうげんえき》まで二三世続いた。なお、すべて臨済宗の僧である。

2 室町時代の鎌倉・古河公方を中心とした関東地方の歴史を記した歴史書・軍記物。一三七九（天授五・康暦元）年より一四七九（文明一一）年までの約一〇〇年間の歴史を記している。

3 元足利藩士で南画家（一八一五～一八九八）。幕末の混乱期に「誠心隊」を組織し、足利の町を守った。第一回帝室技芸員に選ばれている。

参考文献

『足利学校　日本最古の学校　学びの心とその流れ』（展覧会図録）足利市教育委員会、足利市みどりと文化・スポーツ財団、二〇〇四年
倉澤昭壽『近世足利学校の歴史』足利市、二〇一一年
市橋一郎「教育遺産としての足利学校」『常総の歴史』第三九号　崙書房、二〇〇九年

凛とした空間で学ぶ、閑谷学校

大西基久・新井一史・石井啓
備前市文化振興課

はじめに

今から三五〇有余年前の一六六七（寛文七）年二月、「男」は、こみ上げる嬉しさを隠して、大きく深く安堵のため息をついた。「彼に任せて間違いなかった。主君、光政《みつまさ》公への義を果たし、自分の仕事も終わった」。

その年、和意谷《わいだに》敦土山《あづちやま》に池田家の墓所が完成した。「男」とは、陽明学者の熊澤蕃山《くまざわばんざん》（一六一九～九一）であり、墓所建設を任されたのは、後に岡山後楽園造営などの大規模な事業を指揮する津田永忠（一六四〇～一七〇七）である。そして、この二人が仕えた「主君」とは、岡山藩初代藩主の池田光政（一六〇九～八二）である。

和意谷に完成した墓所は現在の岡山県東南部、山深い地（備前市吉永町）にあり、光政の祖父輝政の代からの祖先崇敬の場ともなっている。儒教を信奉する光政は、儒教の「土地の光潤、草木の茂盛」にならい、この場所に墓所を定めたが、候補地はほかにもあった。その地には、墓所建設の三年後の一六七〇（寛文一〇）年に、光政によって庶民のための世界最古の公立学校、閑谷学校《しずたにがっこう》が建てられた。

光政と二代藩主綱政《つなまさ》父子は閑谷学校を語る時に欠かせない人物である。閑谷学校は、光政が儒学の仁政を実現するため、庶民の学びの場として設立した。国宝の講堂を中心とした備前焼の瓦で葺かれた建物群は、現在も居住まいを正すかのように整然とあり、まわりの緑とよく調和し、教学の場としてその伝統を守り続けている［9頁写真］。

閑谷学校が現存するのは、建築技術の素晴らしさに加え、戦禍を免れたことも遠因である。こうした地政的要因に加え、そこでの学びの仕組み、村方のリーダーの養成が今日まで存続したひとつの要因でもある。現在でも国宝の講堂では論語学習が行われている。

庶民の学びと熊澤蕃山

池田光政は、会津の保科正之（一六一一〜七二）、水戸の徳川光圀（一六二八〜一七〇〇）と並ぶ「天下の三賢侯」と称され、自ら深く学問を修めるとともに、藩士や領民を教導し、仁政をほどこしている。光政が儒学、とくに陽明学に関心を抱いたのは、熊澤蕃山との出会いがきっかけであった。

京都生まれの蕃山は、一六三四（寛永一一）年一六歳の時に岡山藩に仕えたが、一六三八（寛永一五）年に致仕《ちし》して縁故の近江に移り、学問に励んだ。その後、陽明学者である中江藤樹（一六〇八〜四八）に師事し、儒学などを学んでいる。蕃山が岡山藩に再度仕えたのは、一六四五（正保二）年二七歳の時で、その後、蕃山が藤樹について学問を修めたことが光政に知られ、側役《そばやく》に起用され、様々な藩政改革に取り組んだ。

一六五四（承応三）年に備前平野を襲った洪水や大飢饉の時、光政があらゆる手段を使って飢民を救済した際には、蕃山の進言に負うところが多かったと言われる。

光政は蕃山の師である中江藤樹を尊敬しており、藤樹が一六四八（慶安元）年に他界した後、その弟子や門弟を岡山へ招き、花畠に集住させた。蕃山を始め、その陽明学者の仲間は花園会と呼ばれ、光政は早くから藩士に、花畠の学者について学ぶことを勧め、藩校ができる前から学びの場を設けた。

一六六六（寛文六）年頃から光政は庶民の学びの場として学校の設立を口にし、その年、津田永忠の案内で、池田家の墓所選定のため、和気郡木谷村（現備前市閑谷）を訪ねた。その時に光政は、風光明媚で閑静な環境を気に入り、「往く往くは学校を建つべき処」と永忠に申し渡している。その後幕府の寺社法度制度を契機に光政による寺院淘汰が行われると、従来の寺子屋に代わって手習い所の設立が進んだ。しかし、飢饉や災害などにより、手習い所の廃止が相次ぎ、閑谷の手習い所も同じ運命をたどると心配した光政は、閑谷の手習い所を講堂・聖堂を備えた学校にすることを考え、一六七三（延宝元）年には永忠を閑谷へ移住させ、学校建築を命じたのである。

熊澤蕃山の教えが未来に

熊澤蕃山は、一六五七（明暦三）年に和気郡寺口村（現備前市蕃山）に隠棲し、一六六一（寛文元）年には備前を去って京都に移っているので、閑谷学校の建設には直接関わっていない。しかし、学びによる人づくり・国づくりの大切さを説き、仁政による国の治め方に光政を導いたのは蕃山であった。

蕃山は、治山・治水など農業振興も含めた土木事業に卓越した手腕を発揮した。代表的なものは、岡山城を取り巻き流れる旭川の治水で、蕃山は度々起きていた氾濫を防ぐために、上手に放流水路を企画設計した。のちに和意谷墓所造営を任された藩士の津田永忠が事業を引き継ぎ、これを完成させた。これが百間川《ひゃっけんがわ》の開削であり、地域住民はそれ以後旭川の氾濫から解放された。

蕃山の事業は、儒教の「天人合一《てんじんごういつ》」（天と人は本来一体とする思想）をテーマにどの事業も堅実・堅牢で知られていた。それは自ら現地調査を徹底して行い、時間を十分かけ、労働者を大切にいたわり、費用を惜しまないで、より丁寧に確実に工事に当たっていたからである。

蕃山は著書『集義外書』のなかで、独自の自然観「山川は国の本なり」を説き、自然と和合し協力すれば気候も温和で産物も豊かになるが、森林のむやみな伐採などの自然破壊をすれば、やがて人間に洪水など自然災害の災いがおよび、不幸になると述べている。蕃山は三五〇年も昔に自然破壊に言及している。

熊澤蕃山の肖像　秋山清水画

熊澤蕃山邸跡

閑谷学校とその建物

閑谷学校は、庶民のために造られた、現存する世界最古の公立学校である。その校域の大半は、蒲鉾型《かまぼこがた》とよばれる特異な石塀で囲まれている。石塀で囲まれた平面積およそ二八四五〇平方メートルの敷地のうち、学校施設の存在した平地はおよそ半分であるが、その平地は、「火除山《ひよけやま》」という人工の山で東西二つのエリアに分かれている。西のエリアはかつて学房があったが、明治以降も学校として開発されたため消滅した。これに対し、主要施設のある東エリアは、大半の建物がほぼ完全な状態で残る。国宝の講堂を含む中心施設はこの東エリアの西半分に建ち、東は広庭になっている。そしてこの広庭の北の一段高い場所に聖廟・閑谷神社が東西に並んで立つ。石塀には三つの門が残存し、南には泮池と石橋、東には池田光政の髪や爪を納めた塚、椿山が造成されている。ただ、現在の姿は、閑谷学校創建時の姿ではない。藩主池田光政より、学校の創設・運営を任された津田永忠が、創設から三〇年以上の年月をかけて作り上げたものである。

閑谷学校建設に関する当時の史料は少なく、後世の史料を参考にするしかないが、永忠が、光政より、学問所設立の命をうけたのは、一六七〇（寛文一〇）年頃のことと伝わる。すでにこの場所には、永忠が設置に携わった郡中手習所があったが、これを改修し仮学校としたようである。その後、光政の子綱政の治世にわたって、学房や講堂・聖廟などが整備され、初期閑谷学校が完成した。閑谷学校は、随時施設の新設や改修が行われており、どの段階を完成とするかについては意見が分かれるが、一六七七（延宝五）年に茅葺《かやぶき》の講堂が瓦葺に変更され、この頃から、すでにある建物の改修や再建が始まる。この改修は大規模なもので、小斎と文庫以外は、講堂も含めすべて新しく再建された。現在の施設が整ったのは一七〇二（元禄一五）年頃である。閑谷学校に特徴的な備前焼の瓦は、

閑谷学校建物略年表

かつて存在した建物　現存する建物

西暦	和暦	主な出来事	聖廟	芳烈祠	講堂等（講堂等）	講堂等（小斎）	その他
1670	寛文10	池田光政、津田永忠に学校建設を命じる					
1672	12	綱政が家督を継ぐ					飲室・学房完成
1673	延宝1				旧講堂完成		
1674	2		旧聖廟完成				
1677	5				黒瓦に変更か	小斎完成	文庫完成
1681	天和1						
1682	2	池田光政死去					
1684	貞享1		聖廟完成				
1686	3		初の釈菜	芳烈祠完成			
1688	元禄1						
1697	10						石門完成
1701	14				講堂完成		石塀普請
1702	15						椿山完成
1704	宝永1						
1707	4	津田永忠死去	孔子像安置	池田光政像安置			

このころ現在の建物がそろう（1701〜1702）

この改修の際に葺かれた。池田光政・綱政の二代に仕え、多くの新田開拓や後楽園の造園・吉備津彦神社の建設などを手掛けた津田永忠が、当時最新の技術を使って完成させた集大成の建築である。

聖廟および校門

聖廟は儒学の祖孔子を祀る廟所《びようしょ》である。今でも孔子を祀る儀式「釈菜《せきさい》」が行われるが、この学校で儒学を学ぶ者にとって最も神聖な施設であった。そのため、傾斜地を開いて一段高い場所に築かれている。丁度、聖廟正面に、学校の正門である「校門（鶴鳴門《かくめいもん》）」が配されているが、これは聖廟の表門を兼ねている。

建物は、孔子像を安置する大成殿《たいせいでん》（正殿）と、拝殿に相当する中庭《ちゅうてい》を、東西二つの渡り廊下「東《とう》階《かい》」「西階《せいかい》」で結び、周囲を練塀《ねりべい》で囲んでいる。大成殿内部は、中央奥に朱塗り八角形の厨子（聖龕《せいがん》）を配し、その内部に、一七〇七（宝永四）年に納められた孔子像（袞冕像《こんべんぞう》）を祀る。天井は格天井で造られ、床面は六角形の備前焼敷瓦が敷き詰められるなど、特別な造りとなっている。東階・西階や中庭には、黒い敷瓦が使用されている。域内の建物はすべて本瓦葺で、無紋の軒丸瓦が使用される。校門は、入り口を曲線のある花頭口にし、左右に一段低い屋根を設ける中国式の門である。学校の正門であるため、軒丸瓦には講堂などと同じ六葉紋が使用されている。

この聖廟の前身となる建物は、一六七四（延宝二）年に竣工した。その後すぐに解体され、一六八四（貞享元）年に、現在の建物が竣工したと伝わる。二年後にこの聖廟で秋の釈菜が初めて行われている。建物は何度か修復改変をうけていたが、昭和の修理の際に可能な限り復旧した。元禄一三年より古い銘が入った備前焼瓦がないこと、黒瓦が見つかったことから、完成から一七年程は黒瓦建物だった可能性がある。石段の両脇にある楷樹は、大正時代に植えられたものである。

閑谷神社

閑谷神社は、元々学校創設者池田光政を祀るために建てられた祠堂で、彼の諡から「芳烈祠《ほうれつし》」と呼ばれていた。傾斜地を開いて一段高い場所に建てられているが、聖廟に比べて一メートル程低く、また、建物の大きさや作りが聖廟に対して質素である事から、聖廟に祀られた孔子に対する礼を表現したものだと一般的に説明される。

建物は、本殿（旧芳烈祠）と拝殿（旧中庭）の中央を、渡り廊下である幣殿《へいでん》（旧階）で結び、周囲を練塀で囲んでいる。本殿内部は内陣と外陣に分かれ、内陣には、一七〇七（宝永四）年に納められた池田光政像（県重文）を祀る。建物はすべて本瓦葺で、軒丸瓦に池田家家紋の泊揚羽を使用している。

この芳烈祠は池田光政が死去して四年後の一六八六（貞享三）年に竣工したと伝えられる。聖廟と同じく、完成から一五年程は黒瓦葺だった可能性がある。一八七五（明治八）年に県社になり、閑谷神社と改称。閑谷学校から独立した。これに伴い、新たに建物が追加され、建物の名称も現状のように改称された。昭和の修理などを経て一部復旧したが、本殿を囲む玉垣や内陣など、名称を含め一部明治以降の状態が残された。

講堂を中心とする建物群

学校の中心施設は、講堂を中心に複数の建物で構成されている。このうち講堂は、主に四書《ししょ》の講釈に使用された教室である。縁側を廻らせた、花頭窓が特徴的な建物で、内部は入側と内室に分かれている。吹きっぱなしの内室は丸柱で支えられているが、この柱は芯を避けて加工されている。床はすべて板葺漆塗で、鏡のように光っている。この講堂と釣殿で結ばれている西の建物は飲室《いんしつ》・習芸斎《しゅうげいさい》である。習芸斎は五経や賢伝の講釈が行われた教室で、附属する玄関は教員や来賓が使用した。隣の飲室は休憩室にあたり、部屋の中央には炉がおかれている。その南の土間は玄関として利用され、生徒たちは、この飲室から講堂に入室していた。講堂南の小斎《しょうさい》、および公門は、藩主が臨学の際に使用した。そのため小斎は、四畳半の二部屋の他、雪隠や浴室・炉・納戸などの設備が整っている。柿葺《こけらぶき》の小斎以外はすべて本瓦葺で、軒丸瓦に六葉紋を使用している。

これら中心施設は、一六七〇(寛文一〇)年の創立から次第に整備され、三年後の一六七三(延宝元)年に、現在の講堂の前身となる建物が完成した。当初は茅葺屋根であったが四年後の延宝五年に黒瓦に葺き替えられたようである。小斎・文庫はこの年に完成したといわれ、後に建て替えたという記録がない事から、創建当初のものである可能性がある。その後、旧講堂は解体され、一七〇一(元

講堂の外観・内観

椿山

石塀と火除山

禄一四）年頃に現在の講堂が完成したと伝わる。昭和に入って、小斎は解体修理、公門は半解体修理、その他の建物は屋根の修理が行われた。

石塀

学校の敷地のうち、椿山や泮池を除く校域大半を七六四・八五メートルにわたって囲む。幅およそ一・八メートル、高さおよそ二・一メートルで、天端に角のない蒲鉾型をしている特異な石塀である。切り石が隙間なく積まれ、内部は割栗石がつめられている。敷地北部の斜面を走る石塀は、斜面の片面のみの石垣や、天端に角のある普通石塀がある。一七〇一（元禄一四）年頃普請が始まったと伝わり、この頃作成された絵図では石塀は描かれていない。

明治以降の閑谷学校

池田光政によって創建された閑谷学校は、開学から二〇〇年、明治という近代に翻弄されることとなる。一八七〇（明治三）年、閑谷学校は廃校となり、岡山の藩学校に併合、敷地建物は明治政府の所有となった。一八七三（明治六）年には地域の人々の懇請を受け備中松山藩の要職にあった山田方谷が招聘され、閑谷精舎として再興するが、一八七七（明治一〇）年には廃校となる。その間の一八七五（明治八）年には、芳烈祠に池田輝政・利隆が合祀され県社となった。敷地・建物は明治政府から和気郡区内共有の学校用地として払い下げられていたが、一八七七（明治一〇）年池田家に譲渡された。一八八一（明治一四）年には学校再興を目指す旧藩士・地域の人々が閑谷保黌会を結成、一八八四（明治一七）年、西毅一を教頭として閑谷黌が開校した。

その後は学制の改正によって、校名も私立の閑谷中学校、一九二一（大正一〇）年には岡山県閑谷中学校、一九四八（昭和二三）年には岡山県立閑谷高等学校と変わり、翌年には岡山県立和気高等学校の閑谷校舎となる。一九六四（昭和三九）年には閑谷校舎が閉鎖され、翌年岡山県青少年教育センター閑谷学校が開所し、現在に至る。

近代の荒波に翻弄され、一時は廃校の危機にあったが、地域の人々の閑谷学校への思いが存続へと大きく舵を切らせ、学びの場として二〇二〇年、三五〇年を迎えることとなる。

世界遺産を目指す閑谷学校

閑谷学校は、本物がそこにある、真正性がある、という点で傑出した文化財である。国宝の講堂など建物、石塀などがほぼ建てられた当時の姿で三〇〇有余年後の現代に伝わっている。その間、政治・経済的な要因で取り壊しの危機に直面しながら、地域の人々の英知で存続を図ってきた。しかも時とともに教育制度は変わるが、その変化に合わせて、現在まで学びの施設として機能してきたことも評価される。例えば、学校がある閑谷新田村の中に学校所有の学田・学林を設けただけでなく、隣接する井田村にも中国周代の統治制度を用いた干拓地を作るなど、学校運営を支える財政基盤を整え、永続性のある学びのシステムを築いている。

閑谷学校が創立された時点では、世間では特権的な階級のための教育が行われていたにすぎない。その状況のなかでも、庶民の学び、つまり村方のリーダーを養成することを目的としながらも、武士階級や他地域の子弟も受け入れた。開校当初は学びの徒も集まらず、池田光政の理想とは乖離した様子だったらしいが、学校の学びや運営に庶民出身者を登用するなど、文化・文政期には盛行になる。すべての人に学びの機会を与え、しかも民衆指導者層の内的な学びの意欲を運営システムに取り込むという、二つの点で先進性を持っていた。

閑谷学校の学びの内容は、基礎的な読み書きにはじまり、古典籍の学習までと幅広い。東アジアに共通する学問「儒学」を「共通の教養」として階層を超えて人々に広めた。併せて学ぶ施設も、中国や韓国の書院と呼ばれる施設の基本的な構成を踏襲するなど、普遍性を持っている。光政の理想は、学問による自らの成長だけでなく、藩士から村の庄屋など村の指導者層に至るまで学ぶことによって国が治まることである。これは儒学の理念でもあり、現代でも人類共通の理想といえる。閑谷学校での学びが普遍的といわれる理由でもある。

現代は学校教育の問い直しが様々な場面でなされている。これは現在の学校教育が西洋近代の原理に基づくものであり、一方これとは異なる儒学に基づく東アジアの学問や学びがもつ普遍性を閑谷学校の中に発見できると読み替えることもできる。これは世界遺産として閑谷学校を発信する意義ともなろう。

閑谷学校の建物・構造物には機能を超えた堅牢さ、精緻な技巧、適確な運営管理のための工夫が様々見られる。国宝の講堂の防災機能を極めたつくりをはじめ、他の建物群も、機能性に裏打ちされた意匠の質の高さや、周辺の自然と調和した建物配置のバランスが光る。閑谷学校には芸術性がある。その一方で閑谷学校は自然とも共生している。地球規模で物事を考えなくてはならなくなった現代、人類は「持続可能な世界をつくるため」には何をしなくてはならないか、現代の人類に突きつけられている課題でもある。そういう意味においても、自発的な学びに基づく教育、自然との共生という強いメッセージを発信できる具体的な場所として、閑谷学校は相応しいものである。

世界遺産へ向けての活動

備前市は二〇〇二年に閑谷学校の世界遺産登録に向けた取り組みをスタートした。「世界遺産登録推進委員会」が設置され、推進委員会によって署名活動の実施、講演会などを中心とする取り組みが進められてきた。二〇〇一年度に少人数で発足した閑谷学校の観光ボランティアは、「閑谷学校の歴史的な意味や素晴らしさがよくわかる」と好評で、現在では備前市観光ボランティアガイド協会として組織化されている。閑谷学校だけでなく、日本遺産に認定された備前焼の里でもガイド活動を行っていて、市内の観光の推進役として欠かせない団体となっている。二〇一一年度には、閑谷学校の伝統を受け継ぐ岡山県立和気閑谷高等学校がユネスコスクールに認定され、ＥＳＤを推進するため、閑谷学校でボランティアガイドを体験したり、国際フォーラムに参加し、実体験に基づく意見発表を行うなど活動が盛んである。

二〇一四年度には、文化庁が日本遺産魅力発信推進事業の創設を発表し、備前市は水戸市、足利市、日田市で構成される教育遺産世界遺産登録推進協議会へオブザーバーとして参加し、二〇一五年度には「近世日本の教育遺産群　学ぶ心・礼節の本源」が日本遺産に認定され、協議会に正式に加入した。以後、協議会において、旧閑谷学校の世界遺産登録へ向けての取り組みを進めている。

参考文献
『増訂　閑谷学校史』特別史跡閑谷学校顕彰保存会、一九八七年
柴田一『岡山藩郡代　津田永忠』上下巻、山陽新聞社、一九九〇年
『山陽新聞サンブックス　閑谷学校』山陽新聞社、一九九〇年
『平成一五年度紀要　閑谷学校の建造物』備前市歴史民俗資料館、二〇一四年

近世最大の私塾と学びの町、咸宜園と豆田町

渡邉隆行
日田市咸宜園教育研究センター主幹

はじめに

北部九州のほぼ中央に位置し、交通の要所でもある日田では、古代から現在に至るまでの連綿とした歴史と文化が受け継がれている。なかでも、近世においては江戸幕府の直轄地として西国筋郡代が置かれたことで、九州の政治・経済の中心的役割を担うことになる。特に郡代の御用達の商家が集まる豆田町《まめだまち》は金融業を中心に莫大な富を得て繁栄する。

こうした商家の一つである廣瀬家に生まれた廣瀬淡窓《たんそう》が一八一七（文化一四）年に開いた私塾が咸《かん》宜園《ぎえん》である。入塾時に身分を問わず、学力評価を公表し、門下生自ら塾の運営に関わるなどの特色ある教育が行われた。一人一人の意思や個性を尊重する淡窓の「咸《ことごと》く宜《よろ》し」という教育理念が塾名に込められている。徹底した実力主義と門下生の個性を尊重した教育は全国的に知られるようになり、一八九七（明治三〇）年の閉塾までの約八〇年間で塾主を交代しながら、約五千人の門下生を輩出するなど、当時の日本でも有数の私塾となった。

この咸宜園は閉塾以降、塾建物の大部分が解体されたが、一九三二（昭和七）年に国史跡に指定さ

れ、近年、本格的に整備が行われた。さらに、市の学校教育には咸宜園の教育理念が盛り込まれ、平成二二年には展示学習施設が開館するなど、教育文化の象徴となっている。

本稿においては、天領日田の歴史に触れながら私塾咸宜園や豆田町の特徴について取り上げ、現在の取り組みについて紹介する。

天領日田の歴史

天領（幕領の明治以降の呼称）日田の歴史は、豊後大友氏の改易に伴い、日田郡が太閤蔵入地となったことに始まる。一五九三（文禄二）年には三隈川沿いの日隈山に日隈城と隈《くま》町が整備されるが、関ケ原の戦いを経た一六〇一（慶長六）年には、日田・玖珠・速見郡二万石の大名として小川光氏《みつうじ》が花月川右岸の月隈山に丸山城を築き、同左岸に町人地として丸山町を造る。

一六一六（元和二）年になると、日田藩主石川忠総《ただふさ》が入部し、丸山城を永山城と改め、一六一八（元和四）年には町人地を西側に拡大し、近世日田の町並みの形態はほぼ整うこととなる。石川氏転封ののち、日田郡の大部分が幕府の直轄地となり、一六三九（寛永一六）年に永山城下に代官所（日田御役所・通称永山《ながやま》布政所《ふせいしょ》）が設置され、この頃には丸山町は豆田町と改名された。その後、日田はしばらく幕府の直轄地であったが、一六八二（天和二）年に引越し大名としても知られる松平直矩《なおのり》が播磨国姫路から七万石で入封して日田藩が再興された。しかし、直矩は四年後の一六八六（貞享三）年に早くも出羽国山形へと転封となり、以降の日田は明治まで幕府直轄地として支配されることとなる。

次第に拡大する代官の支配領域は日田・玖珠以外にも豊前・豊後の各地におよび、一六九八（元禄一一）年には一〇万石、一七六七（明和四）年には筑前・日向・肥前も加えて約一五万石にまで増加し、日田代官は西国筋郡代へと昇格する。さらに、一七六八（明和五）年から一七八三（天明三）年までの郡代は天草を兼帯支配しており、その支配地総高は約一七万石にものぼることとなった。こうして、日田郡代は直轄地の年貢収納のみならず、九州諸藩の監視も務めたことから、日田は九州における幕府支配の政治的中心地となるのである。さらにこの頃には、日田代官所を起点とした中津宇佐・英彦山小倉・久留米・阿蘇熊本竹田・玖珠府内への六つの日田街道（往還《おうかん》）が整備されていることが「豊後国志」に記されている。人や物の往来が活発となったことは想像に難くないであろう。

また、政治権力の増大は経済面の発展も促すこととなり、代官所膝元の町（豆田・隈町）にも次第に商人層が移住し、店を構えていく。こうして集まった商人たちは御用達として代官所の扱う年貢銀や御用金などの「公金」を無利子で預かり、それを資金として九州一円の諸藩などを相手に金融業を営んだ。代官の権威を背景とした踏み倒されることのない安全・有利な「日田金《ひたがね》」とも紹介される

廣瀬淡窓肖像画（廣瀬資料館蔵）

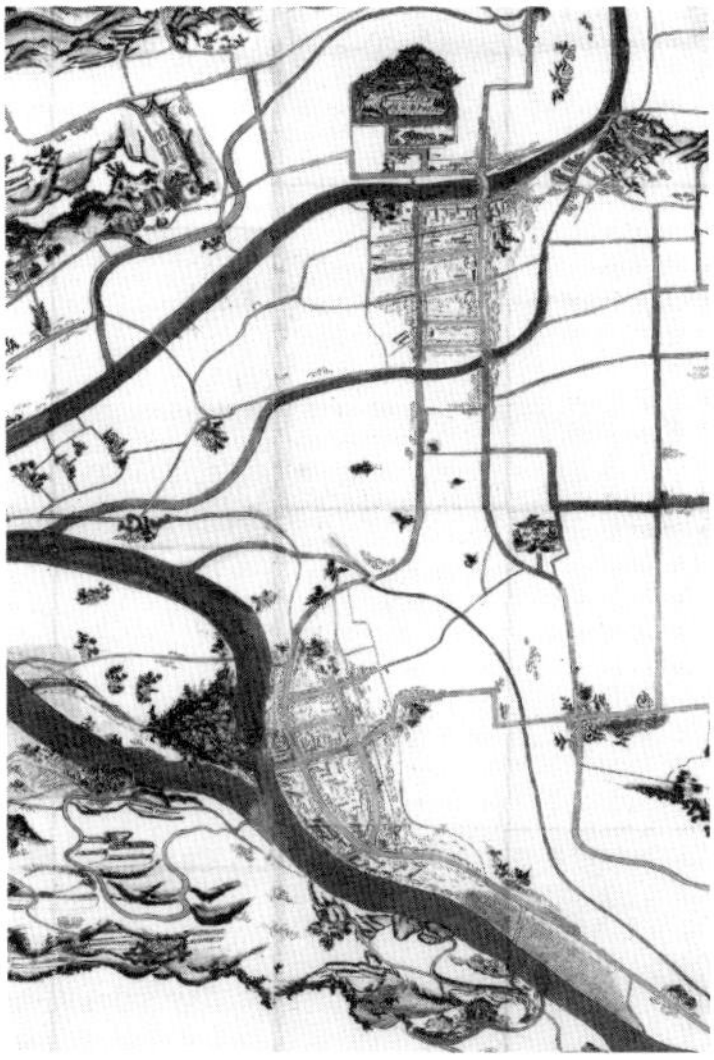

文政年間日田古地図（森家絵図、日田市蔵）

金融資本を背景に、莫大な富を築き日田は繁栄を極めることとなる。

　こうして各地から集まる人や物資とともに様々な情報も行き交うようになる。そして、情報を交換する場として座を構えて行う文芸が広がり盛んとなるのも自然の流れであった。儒学・俳諧・書画・華道・香道・點茶・煎茶などが商人を中心に盛んとなり、多くの文人墨客の往来が活発となった。特に俳諧や詩文は廣瀬家などの商家のみならず、代官や僧侶、医師などを中心に盛んとなり、女流詩人も活躍するほど文化的に豊かで、咸宜園が成功する土壌が日田に育まれていった。のちに二名の尼僧が咸宜園に入門しているのもこうした背景と無関係ではないだろう。

近世日本最大の私塾咸宜園

　咸宜園は、一八一七（文化一四）年、儒学者であった廣瀬淡窓が創設した漢学を学ぶ私塾（学問塾）である。淡窓は豆田町の豪商である廣瀬家の出身で、伯父の平八《へいはち》（俳号・月化《げっか》）は日田俳壇で活躍し、父の三郎右衛門（俳号・桃秋）も学問を嗜む文化人であった。淡窓は伯父や父、豆田町にいる多くの文化人、さらには佐伯藩校四教《しこう》堂や亀井昭陽に学問を学んだ。淡窓は生来より病弱であったため、家業を継ぐことが出来ず、学問で身を立てていくことを決意する。

　一八〇五（文化二）年、豆田町の長福寺学寮で教授を始めた淡窓は、その後転居して私塾「成章《せいしょう》舎《しゃ》」を開く。さらに、入門者が増えると、豆田町の豪商手嶋（伊予屋）義七が土地や費用を提供して「桂林園《けいりんえん》」を開いた。次いで一八一七（文化一四）年、塾を閑静な地に移して塾生と起居をともにして教育指導に励むため、豆田町から南に四〇〇メートルほど離れた堀田村に塾を移した。これが「咸宜園」で、伯父月化夫妻の居宅である秋風庵《しゅうふうあん》の西側に隣接する場所であった。咸宜園の名は「詩経」

の一節である「殷、命を受く咸宜、百禄是れ何う」に由来し、淡窓の教育理念が込められている。

咸宜園の特徴は、年齢や学歴・身分を問わず、塾生を受け入れる「三奪法《さんだつほう》」による平等主義や、塾生の毎月の学業成果を評価し、序列化した「月旦評《げったんひょう》」による徹底した実力主義を取り入れるなど独自の教育システムがあげられる。また、学ぶ前にまず治めることが重要と考えた淡窓は、塾の生活を律する厳しいルール「規約」を設けて教育環境を整えた。寮の共同生活の中で全員に役職を分担させて、協力し合う「職任《しょくにん》制」を導入し、塾生の社会性を養うことを目指した。

さらに漢詩の詩作奨励による情操教育を重視した。咸宜園には休日があり、郊外で教育する機会も設けた。春と秋には「春秋山行」を行い、自然や寺社に遊行して、塾生の心身をリフレッシュしたのである。

こうした教育法が全国に広く知られ、多くの塾生が集った。塾生は九州出身者が多いが、四国や本州出身者もおり、なかには東北地方（陸奥国）から入塾する者もいた。

咸宜園は時の代官の干渉を受けながらも教育理念を貫き、一〇代に亘る塾主交代を経ながらも、一八九七（明治三〇）年の閉塾までに五千人を超える門人を輩出した。岡研介（医家）・大村益次郎（兵部大輔）・長三洲《ちょうさんしゅう》（文部大丞）・上野彦馬（写真家）・清浦奎吾《けいご》（内閣総理大臣）などの各分野で活躍した門人のほかに、出身地に帰った後に教育者となる者も多く、このことが庶民教育の裾野を拡大した。

さらに、咸宜園の教育システムは他の学校にも広がり、三亦舎《さんえきしゃ》や成美園《せいびえん》（ともに広島県）や水哉園《すいさいえん》（福岡県）、泊園《はくえん》書院（大阪府）のほか藩校（大村藩校「五教館《ごこうかん》」）でも月旦評を取り入れたところが存在した。このうち三亦舎は、咸宜園の門人末田重邨《すえだじゅうそん》によって開かれ、さらに成美園は三亦舎の門人佐々木省吾によって開かれるというふうに、咸宜園を原点とした学びが各地で広がっていったのである。

咸宜園は当初、豆田町と在郷町の隈町を結ぶ街道（別称：豆隈大道《まめくまおおみち》）の西側（西家）の敷地で開塾し、その後、塾生の増加に伴って、一八二四（文政七）年には通りを隔てた隠宅のある東側（東家）に敷地を拡げ、塾舎などを増築していった。その過程で、東側の伯父夫婦の隠宅「秋風庵」も敷地内に含まれることになった。

嘉永年間（一八四八～五四）には大小一五棟を超える多くの建物が敷地内に存在していたことが古絵図や発掘調査などで明らかとなっている。東西に長い約九〇〇坪の空間は、街道を隔てた東西の敷地に分かれ、淡窓は東家・西家と呼び分けていた。東西の塾の性格は時期により異なるため明確ではないが、居宅のほかには講堂と寮舎が一体となった建物が存在していた。また、東家は塾主家であり、西家は塾主の後継や都講《とこう》（塾生の総監督）の役職にある人物の居宅として使用されていた。東家側には現存する秋風庵（居宅）や遠思楼《えんしろう》（書斎）のほかに講堂や東塾（寮舎）、居宅・客間・書斎として利用された招隠洞《しょういんどう》・梅花塢《ばいかう》などが点在していた。また、塾主家が生活する敷地と塾生の学びの場や生活を行う敷地（キャンパス）は植栽で明確に画されていた。

西家側は開塾当初に建設された居宅の考槃楼《こうはんろう》と桂林園から解体移築した西塾に追加して、一八四七（弘化四）年頃に建築された南塾・南楼と呼称される二階建ての塾舎などが建設された。西塾と呼ばれた塾舎でも、都講や主簿《しゅぼ》（会計）などが他の塾生とは区別されて居住するなど敷地と建物は性格により配置されていた。

咸宜園と生家廣瀬家

日田商家の多くは上方との取引などで代官所との結びつきを強めて資本を蓄積する。幕府の財政政策や貨幣経済の進行に伴って、資本を活かして小規模な金融から豪農層への貸付、さらには大名家の御用達あるいは代官所の公金を扱う「掛屋《かけや》」となるものが現れる。この掛屋は金融業を中心に基幹産業（生蠟・造酒など）に根ざす総合商社・銀行的存在で、幕府直轄領であった日田では年貢米穀の集荷と回送、納入した金銀などの財務を掌握する商人が必要となり、代官所の御用達商人が登用され掛屋となった。特に代表的な掛屋は豆田町では廣瀬家・千原《ちはら》家・草野家・手島家などがあった。

淡窓の生家廣瀬家は一六七三（延宝元）年に博多から日田へ移住したとされ、屋号は当初「堺屋」のち「博多屋」で、先祖は黒田家の家臣であったらしい。淡窓の教育理念にも影響したと考えられる「心高身低」（心は高く身は低く）の家訓を遺した第三世久兵衛《きゅうべえ》（淡窓の祖父）の頃に家業が拡張し、代官所にも出入りするようになる。第四世平八（淡窓の伯父月化）の頃には、代官の近侍に加えられて姓を賜り、岡・杵築・府内の豊後三藩、肥前蓮池《はすいけ》・鹿島・大村藩・対馬藩田代領の御用達を務めるなど経営を拡大する。第六世久兵衛（淡窓の弟）の頃には「掛屋」となって代官所との関係をさらに強め、関係する藩も一五にのぼるようになる。廣瀬家はほかの掛屋とは異なり、利潤を生む生産・加工業も少なく、貸付金の運用益で利益を上げる金融業が中心で、貸付を行う資本の七〇％以上を「預かり」とされる他人資本が占めていた。さらに、廣瀬家は府内藩・対馬藩田代領・福岡藩の財政改革にも貢献し、日田の新田開発や公共交通網整備のみならず、膨大な範囲の新田開発に豊前・豊後・筑前などで携わった。

廣瀬家は咸宜園の塾舎拡大に伴う新築・改築などの際には工事などを支援し、特に入学金・授業料や淡窓の個人資産などを有利に運用したりして塾の経営を大いに助けていた。また、代官所や御用達の対馬藩校東明《とうめい》館・府内藩游焉《ゆうえい》館・大村藩、新田開発を行った浮田（豊後高田市）分校での教授など、廣瀬家の事業と出張講義は深く関わっている。さらに、第二・三・四代塾主は廣瀬家の優秀な親族が務めるなど、廣瀬家と咸宜園教育が深く関係していたことで、長くその経営が続く要因となった。

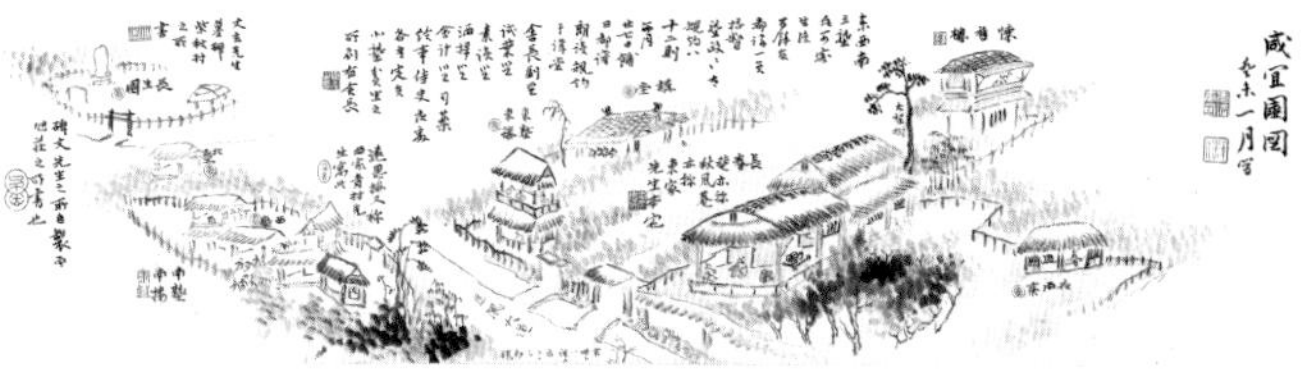

「小栗布岳咸宜園絵図」1883（明治16）年（善教寺蔵）

「長岡永邨咸宜園絵図」1913（大正２）年（廣瀬資料館蔵）

現存する建物、遠思楼と秋風庵

咸宜園を支える学びの町豆田

豆田町は、東から西へと緩やかに傾斜する地形的特徴により東側の上町から先に成立した。後に町人地を西側に拡大し、南北二本の通りと東西五本の通りで区画し、東側の南北通り沿いの町を上町、西側のそれを下町と称する整然とした町割が行われる。

一六八二（天和二）年の最古の豆田町絵図では、「上町下町南北長百六十六間」「横町東西長五十九間」と記され、ほぼ現在の豆田町の範囲が成立し、間口が同規模の宅地が整然と並んだ当初期の姿を窺い知ることができる。ところが、江戸中期以降、次第に合筆や分筆が進み、均質性を志向する宅地割から格差のある宅地割へと変化する。一八六四（元治元）年絵図では、豪商の住む大規模宅地と一般商人の宅地や借地である短冊状の宅地に再編されている。活発な経済活動の結果を反映した結果であり、豆田町の空間構成の変化は日田の経済発展を映す鏡であると言える。

また、一七七二（明和九）年に起きた大火で建物の大半が焼失したことから、豪商の主屋を中心に塗籠造《ぬりごめづくり》の一形式とされる「居蔵造《いぐらづくり》」への建替えが徐々に進み、敷地後方に土蔵を建てることも多くなる。大火を経て、草葺の町家に代わり、荒壁や漆喰で塗り込めた瓦葺き居蔵造の町家が広まり、さらに、明治期には居蔵造は洋風の意匠を取り入れるなど、現在の景観が造り出される。

豆田町には、江戸初期以前に築かれた用水路である城内川が町の北東側から南西方向へ流れ、町内には城内川から取水する水路が東西に順次通される。一八二五（文政八）年には、廣瀬久兵衛らの尽力により開削された灌漑用水（小ケ瀬井路《おがせいろ》）の整備により、城内川の水量が増加し、長崎廻米などを筑後川の水運で運ぶ日田川通船の港（中城河岸《なかじようかし》）が整備された。現在でも「港町」の町名に当時の名残がみられ、その豊かな水を湛えた町の景観は日田が「水郷《すいきよう》」と呼ばれる所以ともなっている。

淡窓が最初に講義した廣瀬家南蔵や教育者としての第一歩を踏み出した長福寺学寮、咸宜園の前身である「成章舎」や「桂林園」、桂林園を支援した豪商手島家、廣瀬淡窓の生家である廣瀬家などは豆田町のなかにあり、咸宜園の運営に大きく関わっていたことが分かる。さらに、咸宜園には草野家や千原家などの豆田町出身の塾生も多く入門したが、他国から入門した塾生は長福寺などの寺院や町人宅に寄宿した。塾の会計は町人に預けており、資金運用などは廣瀬家が行うなど町全体が塾の運営と塾生の生活面の支援を行っていたのである。こうした土壌は日田の文化的醸成度の高さによるものが大きく、豆田町は咸宜園の教育と「共生」した学園都市としての性格を有する町であった。

また、豆田裏町にあり、有浦琴虹《きんこう》・蓬園《ほうえん》の母子二代で、咸宜園とほぼ同時期に約三五〇〇人を教えた寺子屋「三遷堂《さんせんどう》」は、地域の初等教育を支えていた。

豆田町の風景

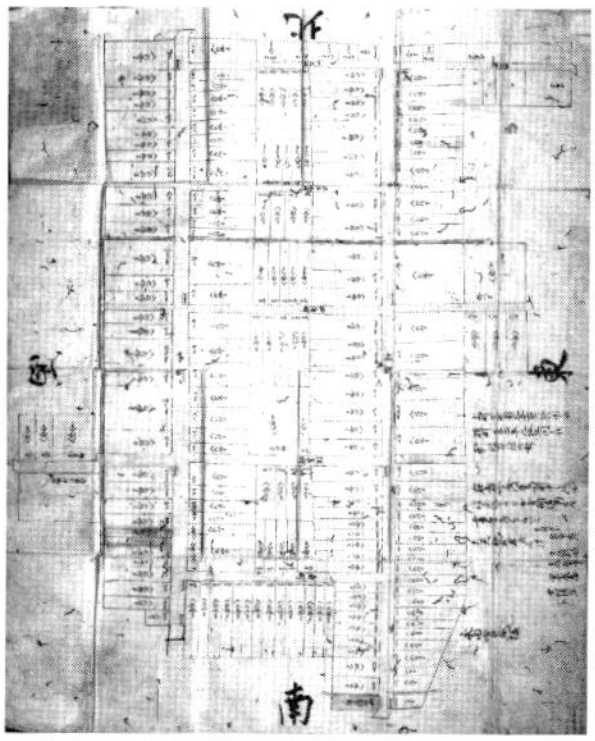

天和二年（1682）の豆田町絵図（廣瀬資料館蔵）

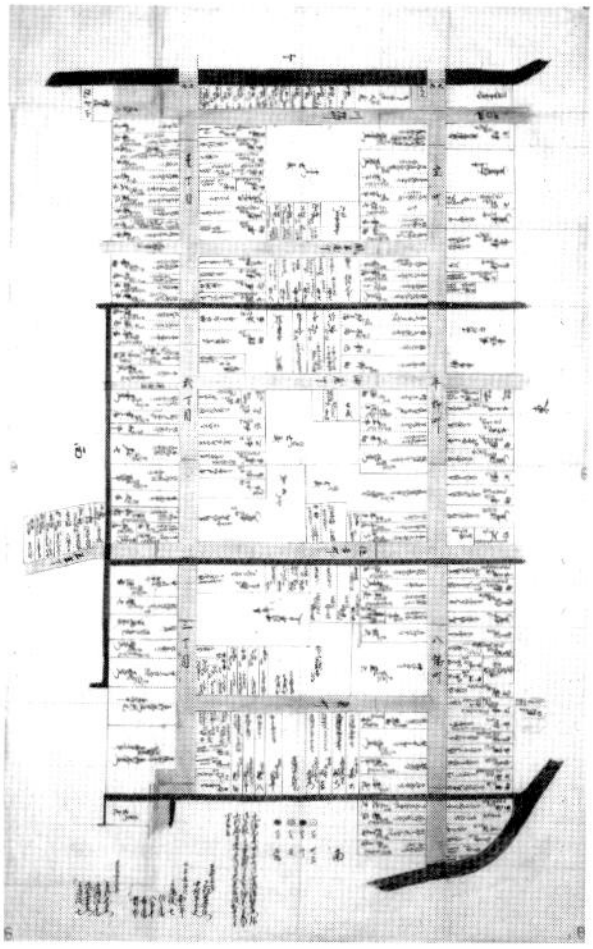

元治元年（1864）の豆田町絵図（廣瀬資料館蔵）

現在でも、廣瀬家（国史跡「廣瀬淡窓旧宅及び墓」、草野家（国の重要文化財「草野家住宅」）、旧千原家、旧手島家、三遷堂（伝統的建造物に特定）、長福寺（国の重要文化財「長福寺本堂」）などの建物は現存している。このように、豆田町には塾生の生活を支えた支援者の旧宅跡や淡窓と塾生が過ごした空間など、咸宜園と共に歴史を刻んできた環境が良好に保存されているのである。

近年の保存活動と取り組み

咸宜園は閉塾後、東塾講堂が尋常小学校として利用されたりもするが、塾建物の大部分が解体される。西家では、一八八九（明治二二）年にはほぼ全ての建物が解体され、日田郡役所が建設される。一九二三（大正一二）年に大分県日田事務所、一九三五（昭和一〇）年以降は日田郡農会や各種農業組合の建物として利用・改築がなされながら、一九六六（昭和四一）年には日田地区生活協同組合が入り、大分県労働金庫が建設される。東家側では秋風庵以外の建物は解体されるが、一八九〇（明治二三）年には、咸宜園蔵書や淡窓の遺品が散逸することを危惧した門下生有志によって、秋風庵の東側に書蔵庫が建てられる。その後、一九一五（大正四）年に淡窓が教育への功績により正五位に叙勲されたことから、咸宜園への顕彰活動が盛んになり始める。一九一六（大正五）年には講堂跡周辺に淡窓図書館と関連施設が建設され、一九六〇（昭和三五）年に改築し、図書館東側には柔剣道場などが整備された。また、一九五三（昭和二八）年には解体売却されていた遠思楼を咸宜園内に戻している。

このように、咸宜園の顕彰活動が盛んとなるなか、一九三二（昭和七）年には国史跡に指定され、平成に入ると史跡の公有化と建物の解体修理や史跡の整備が本格的に行われた。

豆田町は明治・大正・昭和初期にかけて、洋風の意匠を取り入れながら町並み景観を維持してきたが、高度経済成長期になると建替えや土蔵が取り壊されるなどして町並み空間が失われつつあった。そうしたなか、「日田天領まつり」の開催や草野家での雛人形の公開などを契機として、伝統的な町並みを活かしたまちづくりに取り組むようになる。一九八三（昭和五八）年には豆田地区町並み調査を実施し、一九九二年には都市景観形成地区に指定し、修理修景事業が実施された。そして、二〇〇四年には商家町として国の重要伝統的建造物群保存地区に選定された。

近年では、二〇一〇年の展示学習施設「咸宜園教育研究センター」の開館以来約二〇万人の来館者が訪れ、豆田町は市の主要観光拠点として年間約四〇万の観光客を受け入れている。

また、二〇一二年の「教育遺産世界遺産登録推進協議会」結成を経て、二〇一五年には「近世日本の教育遺産群―学ぶ心・礼節の本源―」が日本遺産第一号に認定された。日田市では日本最大規模の私塾「咸宜園」と共生した豆田町などを構成文化財としたことから、咸宜園や豆田町への知名度が高まり、来訪者が増加している。

市の学校教育理念には咸宜園教育が盛り込まれ、二〇一五年度より「日本遺産子どもガイド」、二〇一九年度からは「日本遺産中学生英語ガイド」を育成し、咸宜園や豆田町などで生徒が解説ボランティアを行っている。二〇一七年度からは世界遺産登録を目指した市民活動団体「咸宜園放学遊山の会」が結成されるなど、地元の活動も一層活発になっている。

おわりに

庶民教育が普及し、教育需要が増大していた近世後期の社会において、漢学は学問を志す多くの人にとって必須な教養で、先進的な学問（蘭学など）を学ぶためにも不可欠な知識であった。そして日田では、経済的発展に比例するように文化水準が高まり、幕府直轄地ながらも武士階級が少ないことに起因する自由な気風が存在していたからこそ、誰にでも門戸を開き、平等に教育するという咸宜園が成立するチャンスがあった。さらに、活発に行き交う情報や廣瀬家の喧伝のおかげで、咸宜園教育の高名は藩政下の私塾に比べてよく知られており、紹介者さえいれば誰でも入門できるため、卒業生が地元で紹介するという好循環を生み出した。

　また、日田の豪商や廣瀬家が経済的支援を行い、廣瀬家の有能な人材に塾経営が受け継がれていったことや豆田町の町人や宗派を超えた寺院が寄宿先を提供するなど、地域をあげて入門生を受け入れる体制が整っていたことも大きい。

　このように、日田の経済発展を背景にしつつ、文化に理解のある町人の協力によって咸宜園は近世日本最大の私塾となることができたのである。

　豊後の小都市で花開いた学びの文化は現代へと受け継がれ、市内の小学生が淡窓の残した「休道の詩」を暗唱し、日本遺産の活動などを通して市民の意識も高まりつつある。今後は咸宜園の価値をより多くの人に理解してもらうために、さらに啓発を行っていく必要がある。

参考文献

日田市史編さん委員会編『日田市史』日田市、一九九〇年
宮本雅明編『日田市豆田町伝統的建造物群保存対策調査報告』日田市教育委員会、二〇〇四年
日田市教育庁文化財保護課編『廣瀬淡窓の生家』日田市教育委員会、二〇一二年
日田市教育長世界遺産推進室編『廣瀬淡窓と咸宜園　近世日本の教育遺産として』日田市教育員会、二〇一三年
日田市教育庁文化財保護課編『永山城跡II』日田市教育委員会、二〇一三年
高橋昌彦『廣瀬淡窓』思文閣出版、二〇一六年

教育遺産群の建造物と創造的活用

江面嗣人
岡山理科大学建築歴史文化研究センター長

はじめに

足利市、備前市、日田市、水戸市の四市がもつ六つの資産（足利学校・閑谷学校・咸宜園・豆田町・弘道館・偕楽園）には、それぞれ創建当初の建造物、復元（再現）建物、関連建物、地下遺構などが含まれる。本稿では各市における資産の特徴を、建造物の視点から概説したい。

さらに、「文化財の創造的活用」などの考えを示しながら、教育遺産群の価値について考えてみたい。

儒学思想と寺院建築様式の融合、足利学校

足利市の足利学校は、敷地西域に一六六八（寛文八）年に建設された大成殿（孔子堂）を始め、同年建設の入徳門、学校門、杏壇門が南北一直線上に並び、主要な構成物件となる。大成殿は、現存する最古の孔子堂で、祭祀空間とする建物の構成は中国の聖廟を模したとされる。寄棟造、本瓦葺で、一重裳階付とし、軒下の組物などは比較的質素な形式とし、全景および細部においても日本の仏教

建築の形式をみせる。大成殿後方には歴代庠主の墓が並び、これらの遺構を囲むように中世の増築と考えられる土塁が回るが、入徳門は足利学校に入る最初の門として土塁外の敷地南端に位置し、建物名称は儒学思想に基づく。土塁南西端の外に近接して一五五四（天文二三）年創建の正一位霊験稲荷社本殿が足利学校の鎮守として建ち、神明造とし、日本の神社建築の様式を用いている。

東域には、発掘調査および古絵図調査の成果をもとに、一九九〇年に江戸中期の姿に復元（再現）された方丈、庫裡、書院など、計七棟の復元建造物が建つ。方丈は六間取りの方丈形式をとり、方丈と庫裡との間には正面唐破風造の玄関が付くなど、禅宗寺院の建築形式をみせる。

足利学校 大成殿（孔子堂）

足利学校 方丈と南庭園（奥に唐破風屋根の玄関がみえる）

唯一の国宝を有する閑谷学校

備前市の閑谷学校は、敷地は市街地から遠く離れた山あいの閑静な地に、儒教思想に基づく学校施設として、講堂[9頁]、聖廟、学房などが整備された。現存する構成物件はほとんどが重要文化財に指定され、復元(再現)建物は無い。講堂は、六資産のなかで唯一国宝に指定され、入母屋造の比較的規模の大きな堂々たる外観をみせ、仏教建築の技法による高い建築技術と意匠をみせる。広い一室として厳粛な空間を形成し、当時の教育空間の在り方の一端を知ることができ、貴重である。この他、五棟が重要文化財として建つ。

閑谷神社 拝殿

閑谷学校 聖廟(孔子廟)

講堂の北東の高台には、聖廟と閑谷神社が配される。聖廟は、外門、中庭、東西階、大成殿が南北一直線上に並び、孔子像が安置されて孔子廟とも呼ばれ、儒教の祭祀空間を反映した構成とする。このほか、厨屋・繫牲石、文庫、練塀・石階、校門などが、一六八四（貞享元）年の閑谷学校再整備時の比較的早い時期に建てられ、重要文化財に指定されている。閑谷神社は、一六八六（貞享三）年に藩主の池田光政を祀る芳烈祠として本殿、拝殿、幣殿が建ち、神社建築の様式とし、神庫、中門（外門）、練塀、石階などが、共に重要文化財となる。

学房は、敷地西端に位置し、講堂の西側の火除山のさらに西側にあったが、現在はその建物は失われ、明治期に建てられた学校建築が残り、国の登録有形文化財となっている。また、これらの建造物を囲んで、精緻に積まれた上部かまぼこ状の石塀が回り、当時の石造技術の高さをみせる。これらの重要文化財の建造物のほかに、特別史跡および名勝の構成要素として、先の火除山や、椿山、黄葉亭、泮池などが残る。

学園都市の性格をもつ豆田町と私塾咸宜園

日田市の咸宜園は、東家跡と西家跡に分かれ、東家跡には、国史跡の構成物件であり、歴代塾主の居宅である一七八一（天明元）年築の秋風庵が残り、茅葺きの農家の形式をみせる。また、一八四九（嘉永二）年に淡窓の書斎として建てられた二階建の遠思楼［145頁］が残り、風呂・便所棟や一八九〇（明治二三）年築の書蔵庫が残る。その他、復元建物の井戸屋形が建ち、塾生の寄宿舎として使われた東塾跡や淡窓の書斎として建てられた梅花塢跡、淡窓夫妻の居室として建てられた招隠洞跡などが地下遺構として残る。秋風庵［12頁］の北側にあったとされる講堂など学習施設は現存しない。西家跡には、後世の改変が多く、井戸のみが残る。

日田市の豆田町は、江戸時代以降の町並みが残り、国の重要伝統的建造物群保存地区に選定されている。咸宜園の約二〇〇メートル以北に広がり、咸宜園の学園都市としての性格を有する。一六六九（寛文九）年築の九州最古の真宗寺院建築である長福寺本堂、近世後期から末期に整備された当時の掛屋として発展した代表的商家である草野家住宅（九棟）の二件が重要文化財として指定され、地区内の廣瀬淡窓旧宅は国史跡の構成物件となっている。長福寺境内には、一七五九（宝暦九）年に修行僧の研学の場として創建され、後に淡窓が借用した学寮跡が地下遺構として残る。

また、文化財の一部と認められる伝統的建造物の特定物件一七四件が地区内に残り、旧千原家住宅や旧手島家住宅などの古い商家が残る。特定物件の一つである三遷堂《さんせんどう》［159頁］は一八世紀後期の民家を利用した寺子屋の建物で、簡素な建物ではあるが、当時の民間の学習空間を留め、極めて希少な価値をもつ。

対を成す藩校と情操教育の場、弘道館・偕楽園

水戸市の弘道館は、城内三の丸に設けられ、藩校としては国内最大の規模であり、往時の敷地の三分の一が国の特別史跡に指定されている。

一八四一（天保一二）年築の正庁、至善堂、正門（附塀）が重要文化財に指定されている。正庁には藩主の正席の間が設けられ、至善堂は藩主子弟の勉学所であり、格式の高い書院造の形式をもつ。その他、番所、鐘楼（学生警鐘）、弘道館記碑、孔子廟戟門、要石歌碑、種梅記碑が特別史跡の構成物件となり保護され、県指定文化財の塀・土塁が残る。孔子廟戟門は、屋根瓦に中国風の意匠を取

り入れ異彩を放つ。また、太平洋戦争後に復元（再建）された八卦堂や孔子廟、国老詰所、市指定文化財の鹿島神社が建つ。

同市の偕楽園は、国の史跡・名勝として保護されている。一八三九（天保一〇）年造の偕楽園記碑、一八三四（天保五）年造の僊湖暮雪碑、袖塀をもち茅葺の格式の高い意匠をもった一八四二（天保一三）年築の表門、同時に整備された梅林、土塁、大杉森、桜山、吐玉泉などを残す。

また、太平洋戦争時に焼失し、その後好文亭、奥御殿、芝前門、露地門、櫟門が復元されている。好文亭は二層三階建の寄棟造、こけら葺で、一階に茶室をもった数寄屋造の形式とし、弘道館の学生や領民のために徳川斉昭自らが設計したと伝えられる。奥御殿は、偕楽園開園後に中屋敷の住宅建物を移築および増築し、一八六九（明治二）年には、斉昭夫人（貞芳院）の居所とされた記録が残る。

咸宜園 復元された井戸屋形

長福寺本堂

豆田町 草野家住宅

教育遺産群のもつ建築学的な特徴

各学校では儒学を中心とした教育が行われ、咸宜園以外は、儒学の祖である孔子を祀った大成殿を建て、聖廟（孔子廟）を構える。聖廟およびそれと関連する施設は、空間的に学問の場である学問所とは敷地が明確に区別され、聖廟区域と学問所区域の形成が確認される。

聖廟の空間は、大成殿を中心に、それに付随した建造物などを塀で囲み、正面に門を開く形式を基本とした。足利学校は日本最古の大成殿を敷地の西側に構え、その後方に歴代庠主の墓を設け、聖廟区域とする。閑谷学校は、大成殿を伴った聖廟を敷地東側奥のやや高台に構え、東隣に芳烈祠

弘道館 孔子廟戟門

偕楽園 好文亭

である閑谷神社を構えて聖廟区域を形成する。弘道館では、敷地の中心に聖廟が設けられ、敷地後方の西側を正面として戟門を建て、孔子廟（大成殿）を置く。このように、足利学校、閑谷学校、弘道館はいずれも聖廟区域を形成している。

一方、私塾である咸宜園には聖廟がない。韓国でも私学の場合は、孔子は祀らないとされている。教育空間における精神的な機能を担い重要な施設であったが、経済的な余裕のある藩において可能であり、すべての学校がもつことができなかったと考えられる。先の三校においてはいずれも、比較的充実した施設をもつ学校であったことがうかがえる。

学問所区域に建つ主要建造物は、講堂の形式をとるものもあったが、書院造などの形式をとるものもあり、定まった形式をもつものではなく、これらの建造物に付随して書庫や書斎、厨房施設などの付属建物が建てられていた。

さて、近世日本の学校建築には特定の様式がなかったことはよく指摘されるが、以上のような特徴を有する配置計画や主要な建造物が、儒学の基である中国や東アジアの学校施設の形態をどこまで反映しているかは明確ではないが、一部には関連が認められる。

敷地配置では、先に記した聖廟を構え、聖廟区域と学問所区域を併置する点などは、東アジア全体に広くみられる。北京の国子監は、両区域を東西に並べた形式をとり、足利学校は、東西が逆になるが、同様の配置計画とする。韓国ソウルの成均館《ソンギュンカン》やベトナムハノイの文廟などは、弘道館のように前後に並べる形式をとる。閑谷学校は、やや両区域を離すが、敷地内で両者を明確に分ける点は同じである。

建造物の様式については、大成殿の正面を大きく開きその他三方を閉鎖的にし、その前の東西階や中庭、門の構成などは、中国の建築の形式を模したと考えられ、閑谷学校や足利学校に共通してみられる。建物の名称などを考慮しても、中国からの精神的結びつきを踏襲しようとする傾向がうかがえるが、技術的には勿論、意匠的にも、比較的古式に則った日本の宗教建築の様式を基本として建てられていると考えられる。聖廟区域には神社建築も建てられ、日本の宗教建築の景観をみせる。

学問所の主要建物に関しては、その特徴により、広い広間を中心にもつ広間型と小室の座敷を並べた書院造型の二つに分類される。閑谷学校講堂は広間型であり、弘道館正庁および至善堂、足利学校方丈は書院造型に属す。広間型は、講堂の形式をとり、建物も大きく、建設には財政的な裏付けを必要としたと考えられる。規模の小さな学校では必要も無く、そこでは規模の調整が可能な書院造型が採用されたと考えられる。これらの主要建造物は、基本的には日本の建築様式で建てられ、

閑谷学校の講堂内部（広間型）

足利学校の方丈内部（書院造型）

日田市豆田町の寺子屋「三遷堂」

特に中心的な建造物においては禅宗建築の特徴をみせることがある。この理由は様々考えられるが、中世の日本における儒教教育が、禅宗の僧侶によってなされてきたという日本独自の慣習の影響が指摘されている。先の学徒の勉学の場を、座敷を並べる形式とし、近世に発展した書院造の形式を採用して、日本独自の学習空間としたことは、学習内容や方法が、四市の教育資産の世界に類をみない日本独自の性格を有していたことと無縁ではないと考える。

これらの建物と質は異なるが、日田市豆田町の寺子屋である三遷堂は、近世の日本の教育の場が、官立学校や藩校などの充実した施設で行われただけでなく、極めて小規模な庶民の民家が使われていたことを示しており、近世日本の教育現場の多様化を表し貴重である。

文化財の保存と活用について

提案資産のもう一つの特徴は復元(再現)建物を含むことである。復元については、文化財としての価値を疑問視する意見もあるが、先にみてきたように日本の史跡では通常行われている行為である。以下は復元建物の価値についての提言を含むが、日本の文化財保護法には、その目的に「この法律は、文化財を保存し、且つ、その活用を図り、もって国民の文化的向上に資するとともに、世界文化の進歩に貢献することを目的とする」とあり、保存と活用の両方の必要性が明記されている。しかし、これまでの日本の文化財保護は保存を中心に検討と充実が進み、活用についてはほとんど議論がされてこなかった。未だにその活用の目的の検討など、その思想構築については未整理であり、多くの教育委員会の行政レベルでも明確ではない。

二〇一九年四月に文化財保護法が改正され、都道府県レベルにおいて「文化財保存活用大綱」の策定が求められ、それに従って、市町村および所有者が作成する「文化財保存活用地域計画」が文化庁長官によって認定されるようになり、それらの策定や運用において、地域社会の総掛かりの取り組みが進められることとなった。筆者も複数の県の策定に文化財保護審議会委員の立場で関わったが、いずれの県でも、これまでの保存中心の保護の域を超えられていない印象をもった。保存については、文化財の歴史的な価値が長々と書かれ、指定文化財以外の文化財が選定されるなどは充実し、再分類が図られるなどして進められているが、活用についてはその目的の検討が無く、曖昧なままである。どこも最終的な目的に観光の興隆や地域の活性化などが、これまでと同じようにあげられ、特に文化財は観光の資源であるとする記述が目立つ。この理由は、どこも文化財の活用についてその目的が明確ではなく、文化財保護法の目的の考察と解釈がされていないことに依ると考えられた。いずれも先の保護法の目的は掲げるが、どのように解釈したかが全く書かれていない。この点は文化庁の説明文も同じである。

保存中心の文化財の時代は、文化財の学術的な価値を判断できる学者や専門家が、その価値を判断し、歴史学的および学術的に価値ある物件は指定となるが、その価値判断には必ずしも一般市民の考え方が反映されることはなく、また必要もなかった。しかし、活用が重視される時代にあっては、一般市民が活用の主体者となる。主体者としての一般市民が保護の必要性を認め、その保護の目的について理解することが必要である。そのための思想構築が必要であるが、保存中心の学問的分野からだけでは説明ができない。私のこれまでの文化財所有者や技術者などとの話し合いの経験から、一般市民の求めているものは、学問的な説明ではなく、人が生きるための必要性であり、精神的な価値の説明であると強く感じてきた。文化財が生活のなかで如何に人と関わり、人に対してどのような影響をおよぼすか、如何なる意味を伴うのか、何のための文化財であるのかなど、その思想的な位置づけが必要不可欠であると考えられた。そのための活用の高度な検討が必要であるが、先に記したように、これまで十分にそれが行われることはなかった。

この点は、世界遺産においても同様であり、物のもつオーセンティシティ（真正性）だけでは価値の説明ができない時代となっている。四市の教育資産においても、復元（再現）建物を含んでおり、それらの価値についても上記の市民性（価値観など）を反映した検討と議論が必要であると考える。

文化財の創造的活用

以下には、右の思想構築の一例として、筆者の考える文化財の創造的活用について説明したい。先に示した文化財保護法の目的には「国民の文化的向上」があげられた。「文化的向上」については、物心両面の向上が考えられるが、保護法の目的から考えて、物的な向上を意味したとは考えられない。物的な向上としても、心的な、精神的な向上がなければ、それを解し得ない。主として心的な、精神的な向上を意味したと考えられる。文化財には、芸術と同じように、価値観などの精神的な成長を促す力があると考えられる。従って、保護法にある文化的向上とは、文化財による、意識改革などの精神的な向上を意味すると考えられる。日本の文化の形成は、日本人の個性、アイデンティティ、プライド、価値観、などの育成が不可欠であり、それを通した精神的向上（意識改革）、高度な精神性の獲得であり、思考改革を伴うものであるともいえよう。

従って、文化財の活用は、これまで一般に考えられてきた単なる使用、そのままでは保存できない建造物を他の目的に使うなどして残すことを意味する「緊急避難的な活用」ではなく、さらに深い意味をもつと考える。これまでの活用と区別するために、筆者の造語ではあるが、高次の意味をもった文化財の活用を「創造的活用」とした。私の定義としては、「文化財を通して文化の理解を深め、人の精神的な向上という意識改革による人間の人格形成（ひとづくり）を目的として文化財を創造的に活用すること」とした。この「創造的」という語は、哲学者のアンリ・ベルクソンの『創造的進化』（ちくま学芸文庫、参照）からヒントを得ている。

その要件として、「文化的思考能力」や「人間の徳性（美徳）」の強化、「生きる力の持続的相互強化」などがあると考える。文化財や文化に関わるなかで、人間の思考能力（たとえば人と環境の相互依存性の理解など）の深化、思考の傾向性、思考パターンの改善と向上を図ること。人間がもつことのできる信念、慈悲、寛容、共感、希望などの人間の美徳の強化であること。そのなかで豊かな人間性を育み、相互における生きる力の強化であること、などである。文化財（遺産）の創造的活用によって、これらを現実の地域社会で実現できる持続的な仕組み作りを望むものである。

参考文献
西村幸夫・本中眞『世界文化遺産の思想』東京大学出版会、二〇一七年
『史跡足利学校跡保存活用計画書　学校さまとともに生きる』足利市、二〇一九年
『近世足利学校の歴史』足利市、二〇一一年
『足利学校　日本最古の学校　学びの心とその流れ』足利市教育委員会、二〇〇四年
『「学びの元郷　閑谷学校」報告書』備前市、二〇一五年
『特別史跡旧弘道館修理工事報告書』茨城県、一九六三年
『近世日本の学問・教育と水戸藩II』水戸市、二〇一一年
『広瀬淡窓と咸宜園　近世日本の教育遺産として』日田市教育委員会、二〇一三年
『日田豆田町　日田市豆田町伝統的建造物群保存地区概要』日田市教育委員会、二〇〇五年

「教育遺産群」をめぐる議論

自由で闊達な学びのかたち

西村幸夫
日本イコモス国内委員会前委員長

これまでの経緯

一九九二年、日本が世界遺産条約を批准した際、初めて提出した文化遺産の暫定一覧表*には、法隆寺・古都京都・古都奈良・古都鎌倉・姫路城・彦根城・厳島神社・日光・白川郷の合掌造り・グスクに代表される琉球文化の一〇件が挙げられていた。このうち古都鎌倉と彦根城を除く八件はすべて二〇〇〇年までに世界遺産に登録されている。また、この間、一九九五年に原爆ドームが暫定一覧表に追加記載され、翌一九九六年に世界遺産となっている。

暫定一覧表に残された資産がわずか二件となった二〇〇〇年の段階で、文化庁の中で暫定一覧表への追加記載検討のためのアドホックな委員会が設けられ、筆者もその議論に参加した。そのなかで、石見銀山・熊野古道・平泉の三件が候補とされ、二〇〇一年に暫定一覧表に追加された。

この時の主な選考基準は、それまでに評価されることの少ない分野の資産を積極的に取り上げるということだった。これは一九九四年に世界遺産委員会が採択した新しい方針(一般に「グローバル・

＊世界遺産条約を締約した国は、将来世界遺産一覧表に記載する計画のある物件を「暫定一覧表」としてユネスコに提出する。一九九二年当時、自然遺産に関しては、暫定一覧表への提出は義務付けられていなかった

ストラテジー」［38頁参照］と呼ばれる）に沿うものだった。選ばれた三件は、それぞれ産業遺産・文化の道・北東日本の文化を代表する資産【註1】とされたのである。

そのうち熊野古道が二〇〇四年に、「紀伊山地の霊場と参詣道」というタイトルで世界遺産リストに搭載され、二〇〇六年には石見銀山も推薦書がユネスコ世界遺産センター宛に送付されるに及んで、ふたたび暫定一覧表の改訂が議論の俎上に上ることになる。

こうした情勢下、二〇〇六年度から二〇〇七年度にかけて、文化庁は世界遺産の暫定一覧表への追加記載に向けて地方公共団体からの提案を募集した。そもそも国が行うこととなっている世界遺産暫定一覧表の改訂を地方に投げかけることは、国の責任放棄ではないかという批判も招いたが、他方、それまで国の文化財保護審議会（のちの文化審議会文化財分科会）の内部だけで閉じていた議論を外部に開くことによって、一挙に世界遺産への理解と関心が高まるという予期せぬ効果も生み出した（同時にやや過剰気味な世界遺産ブームも生み出した）。

二年間の応募期間の間に計三二件の提案が地方からなされた。そのなかに本書で扱ういわゆる教育遺産の案件も複数含まれていた。

これを議論するために、文化審議会文化財分科会のもとに新たに世界遺産特別委員会が設置され、筆者も委員のひとりとして、のちには委員長として一連の議論に参加することとなった。

特別委員会における議論の結果は二〇〇八年九月二六日に「我が国の世界遺産暫定一覧表への文化資産の追加記載に係る調査・審議の結果について」【註2】として公表された。提案された計三二件のうち、世界遺産暫定一覧表に追加記載するものとして、縄文遺産群・佐渡金山・百舌鳥古市古墳群・九州山口の近代化産業遺産群・宗像沖ノ島の五件が選定された。

一方、暫定一覧表への追加記載には至らなかった提案に関しては、上記の二〇〇八年九月二六日の特別委員会報告において、「我が国の世界遺産暫定一覧表には未だ見られない分野の資産であり、顕著な普遍的価値を証明し得る可能性について検討すべきものと認められるが、主題・資産構成・保存管理等を十全なものとしていくためには、なお相当な作業が見込まれるため、世界遺産暫定一覧表記載には至らないと評価されるもの」という「カテゴリーⅠ」に分類されるものと、「我が国の歴史や文化を表す一群の文化資産としては、いずれも高い価値を有するものであるが、今回の提案内容を基に世界遺産を目指す限りにおいては、現在のイコモスや世界遺産委員会の審査傾向の下では、顕著な普遍的価値を証明することが難しいと考えられるもの」という「カテゴリーⅡ」に分類される資産とに分けて評価している。

教育遺産に関しては、「水戸藩の学問・教育遺産群」、「足利学校と足利氏の遺産」、「近世岡山の文化・土木遺産群」という三つの提案において、主要な構成要素として組み込まれていた。

これら三件の提案自体は、カテゴリーⅡに該当するとされたものの、上記特別委員会報告の別紙8において、次のように特記されている。

「近世の教育遺産」という主題の下で学術的な調査研究等を行うことにより、同主題に基づく文化遺産の構成資産として「顕著な普遍的価値（ＯＵＶ）」［38頁参照］を証明し得る可能性について検討すべきものと評価できるため、「カテゴリーⅠ」にも該当するものとした。一方で、今回提案された主題を基に世界遺産を目指す限りにおいては、現在のイコモスや世界遺産委員会の審査傾向の下では顕著な普遍的価値を証明することが難しく、主題の再整理や構成資産の組み替え、更なる比較研究等が必要と考えられる資産として「カテゴリーⅡ」に該当するものとした【註3】。

すなわち、「近世の教育遺産」というくくり方をすれば、そこには世界遺産登録にふさわしい顕著な普遍的価値が存在する可能性が高いということが明確に示唆されたのである。

これを受けて、「シリアル・ノミネーション」［38頁参照］に向けた動きが始まった。二〇一二年に水戸市と足利市に日田市の咸宜園《かんぎえん》が加わり、三市によって教育遺産世界遺産登録推進協議会が設立され、これに、二〇一五年に備前市が加わり四市による「近世日本の教育遺産群」の世界遺産登録へ向けた動きが固まった。

「教育遺産」という発想

「近世の教育遺産」というひとつの文化遺産の類型としてまとめるという興味深い発想は、文化庁の側から提起されたものであったが、その出発点には、弘道館（水戸市）・足利学校（足利市）・閑谷学校（備前市）という別々の重要な文化遺産が、教育施設として時を同じくして国の求めに応じ、世界遺産暫定一覧表の追加記載に向けて提案されたということがあった。

しかし同時にこのことは、時代背景や建築様式などに大きな幅がある個々の構成資産を、どのように説得力のあるひとつの概念としてまとめていくのかという点に関して、大きな課題を背負わされたことでもあった。この動きに私塾である咸宜園が加わって、カバーすべき概念の広がりはさらに大きくなった。

加えて、構成資産として確定したものが定まらないなかで、離れ離れの各自治体が協調しつつ、推薦書を作成していかなければならないという難しい課題もある。同一県内や同一市内にある複数の資産候補が協調して顕著な普遍的価値の議論を深めていくのとは異なった困難が横たわっているのである。

教育遺産世界遺産登録推進協議会が二〇二〇年にまとめた『近世日本の教育遺産群―世界遺産暫定一覧表記載資産候補提案書』には、教育遺産の定義として、次の二点を共に満たすことを挙げている。

一　教育に本質的に関わる「場」、およびそれと不可分の環境が有形的価値を保ち、その教育的価値によって構成資産として位置づけられること

二　構成資産で展開された教育が文化と学術の歴史、精神史、教育史において、普遍的な文化的価値を有すること【註4】

この定義では、教育遺産は物的な資産としての価値だけでなく、そこで実施される教育そのものが「普遍的な文化的価値を有する」ことが同時に求められている。これは、これまでの世界遺産に登録されている教育関連の文化遺産と比較しても、はるかに教育というソフトに踏み込んだ定義であると言える。同時に同提案書は、現時点における近世日本の教育遺産群の顕著な普遍的価値の捉え方として、「一六世紀末から一九世紀中頃まで続く日本の近世社会で生まれた世界に類をみない階層を越えた教育の場と環境の典型であり、近世日本の教育の意義を現代に伝える、必要にして十分な遺産の集合体である」【註5】と述べている。ここでも教育施設の物的な価値を越えて、近世日本の教育のあり方そのものに光を当てた表現となっている。

本書においても、橋本昭彦氏や大石学氏の主張の底流には、疑いなくこうした近世日本の教育のひろがりに対する高い評価がある。このことを世界遺産の議論としてどのように受け止めるべきなのか、が問われている。

たとえば、同提案書にはこれまでに世界遺産に登録された、もしくは暫定一覧表に記載されている国外の教育関連遺産を表〔170頁参照〕にまとめている。この表に掲載された資産を見ると、修道院（1・12・16）や大学（3・6・9・14・17・18）、その他の教育機関（10・11・15）などの大規模な建造物群やその跡が構成資産の中軸を占めていることがわかる。

複数地域の同等の資産から成るシリアル・ノミネーションとしては、二〇一九年に世界遺産登録された韓国の「書院—韓国の性理学教育機関群」（11）と二〇一〇年に暫定一覧表に記載されたアイルランドの「中世初期の修道院遺跡群」（16）の二件のみである。後者はケルト人による六世紀から七世紀にかけての固有の構成を見せる、六つの修道院遺跡によるシリアル・ノミネーションで、とりたてて教会の特定の教義とは関連づけられていない。唯一、教育の内容と関連して世界遺産に登録されているのは韓国の「書院」である。このことに関しては、後述する。

周知のとおり世界遺産の難しいところは、不動産である構成資産（群）のみで、資産の顕著で普遍的な価値を構成する物語を形作らなければならない点である。いかに教育の内容が比類のないものであったとしても、そのこと自体を世界遺産として評価することはできない。残された不動産としての遺産（群）で価値を語らなければならないのである。

同様のことは信仰に関しても言うことができる。聖堂や神殿、寺院など、世界遺産に登録された宗教施設（これを「教育遺産群」との類推で「宗教遺産群」と呼ぶこともできよう）は当然ながら数多い。しかし、宗教の教義がいかに偉大であったとしてもそのことをもって世界遺産とすることはできない。偉大な教えが多くの信仰者を動かして、人類の宝ともいうべき建造物が造営され、その結果、生み出された造営物としての建造物を、（i）から（vi）の価値基準〔50頁参照〕に照らし合わせて、世界遺産一覧表に搭載されることになるのである。

国外の教育関連遺産一覧（18件）

		国名	種別	資産名	登録年	登録基準	該当項目 ①	該当項目 ②
世界遺産一覧表	1	ドイツ	文化	マウルボロン修道院の建造物群	1993	(ii)(iv)		
	2	中国	文化	廬山（ろざん）国立公園	1996	(ii)(iii)(iv)(vi)	△	○
	3	スペイン	文化	アルカラ・デ・エナレスの大学と歴史地区	1998	(ii)(iv)(vi)	○	
	4	中国	複合	武夷山（ぶいさん）	1999	(iii)(iv)(vii)(x)	△	○
	5	オーストリア	文化	ヴァッハウ渓谷の文化的景観	2000	(ii)(iv)		
	6	メキシコ	文化	メキシコ国立自治大学（UNAM）の大学都市の中央キャンパス	2007	(i)(ii)(iv)	○	
	7	中国	文化	河南登封（かなんとうほう）の文化財"天地之中"	2010	(iii)(vi)	△	
	8	韓国	文化	韓国の歴史的集落群：河回と良洞	2010	(iii)(iv)	△	
	9	ポルトガル	文化	コインブラ大学-アルタとソフィア	2013	(ii)(iv)(vi)	○	△
	10	インド	文化	ナーランダ・マーハヴィハラの考古遺跡	2016	(iv)(vi)		△
	11	韓国	文化	書院ー韓国の性理学教育機関群ー	2019	(iii)	○	△
世界遺産暫定一覧表	12	オーストリア	文化	クレムスミュンスター修道院	1994	(i)(ii)(iii)(iv)(vi)	△	
	13	ドイツ	文化	フランケ財団の建造物群	1999	(iii)(iv)(vi)	○	
	14	ベルギー	文化	ルーヴァン、大学の建物、歴史的中心地における600年間の遺産	2002	(ii)(iii)(iv)(vi)	○	
	15	キューバ	文化	キュバナカン、国立の芸術学校群	2003	(i)(ii)(iii)(iv)(vi)	○	
	16	アイルランド	文化	中世初期の修道院遺跡群	2010	(iii)(iv)(vi)	△	
	17	シエラ・レオネ	文化	旧フォーラー・ベイ・カレッジの建造物群	2012	(iii)	○	
	18	イラン	文化	テヘラン大学	2017	(ii)(iv)	○	

みられる：○　部分的にみられる：△

該当項目　①教育に本質的に関わる「場」、およびそれと不可分の環境が有形的価値を保ち、その教育的価値によって構成資産として位置づけられること。
②構成資産で展開された教育が文化と学術の歴史、精神史、教育史において、普遍的な文化的価値を有すること。

出典：教育遺産世界遺産登録推進協議会編『近世日本の教育遺産群 世界遺産暫定一覧表記載資産候補提案書』水戸市・足利市・備前市・日田市、2020年（p. 94）

いわゆる宗教遺産群の価値は、宗教の価値そのものとは別個のところにある。だとすると、教育遺産群の価値も、教育の価値そのものとは別個のところに求める必要があるだろう。

しかし一方で、影響力のある宗教的な教えが偉大な宗教遺産群を生み出してきたとも言えるので、影響力のある教育の達成が偉大な教育遺産群の一翼を担っているという面も少なくないだろう――教育遺産群をめぐる議論には、慎重な留保が常に必要なのである。

韓国の「書院」に見る教育遺産群の考え方

先述したように韓国の「書院《ソウオン》」は、これまでのところ教育施設を超えて教育内容や教育を実践した社会集団（ここでは士林派《サリム》）にまで言及した唯一の資産なので、やや詳細に「書院」の推薦書の論理を追ってみたい【註6】。

二〇一九年に世界遺産に搭載された「書院―韓国の性理学教育機関群」は朝鮮王朝時代の一六世紀中葉から一七世紀中葉にかけて、士林派と呼ばれる地方の両班《ヤンバン》（支配階級）によってひろく建設された儒教の私的教育機関である九つの書院から成っている。同資産の正式な英語名称は「Seowon, Korean Neo-Confucian Academies」である。本文中でも「書院」は一貫して母国語のイタリック、「*seowon*」で統一されており、「書院」が固有な文化的伝統であることをうまく表現している。

九つの「書院」は例外なく、背後に山を背負い、足もとに川が流れるという山間部に立地しており、東アジアにおける儒教の受容と地域的変容の姿を明快に示す資産としてきわめて価値が高いとされている。地元の儒者を顕彰する聖廟とそこでの儀礼が現在まで受け継がれており、周辺環境と調和した建物の配置や形態は各「書院」ごとに地域的もしくは時代的な若干の差異はあるものの、全体に共通しており、建築様式としても固有のものである。

提案書はまた、国際的な比較対象として中国の「書院《シュウヤン》」や日本の「藩校」、「私塾」を取り上げ、これらとの比較の中での韓国の「書院」のユニークさを強調している。韓国の「書院」は士林派の在地両班のエリート教育の場でもあり、入学する学生は毎年一〇人前後だったと言われる。「書院」は士林派の社会的活動と結びついた社会的な影響力を有していた点は他には見られない特色だとしている。韓国の提案書においても、日本の私塾は創設者ごとに多様であるところに特色があるとされているが、それは必ずしも肯定的な評価とはなっていない。

いずれにしても韓国の「書院」は教育の内容と建物配置等が相関していることや「書院」の存在そのものが社会的な影響力を持っていたという点を強調している点で、近世日本の教育遺産群の顕著

韓国の世界文化遺産、安東市の屏山書院（上）と慶州市の玉山書院

な普遍的価値の論理と共通するところが少なくない。

資産の多様さをどう評価するか

本書の各章で記述されているように、藩校や私塾、足利学校のようにそのいずれにも属さない教育機関、さらには庭園や町まで含む構成資産の多様な広がりを、橋本昭彦氏の論考が指摘する学習・教育ネットワークの多様さの反映としてとらえ、庶民にまで開かれていた学習の機会が、多様な形式の教育機関の姿として表れていたということに価値を見出す論理を、どこまで私たちは固めることができるのだろうか。

そのヒントは、あるいは岩槻邦男氏が強調する「学び」の自主性・多様性にもとめられるのではないだろうか。学びとは自主的なものであり、仲間との討論を通して、学びは達成されていく、そしてそれは統一的なカリキュラムによる強制を伴う「教育」とは別ものだという考え方である。たしかに、弘道館にしろ、足利学校にしろ、閑谷学校にしても、私塾の咸宜園でも、活動の中心は、教師による講義ではなく、塾生相互の議論だった。その根底には「学びたい」という自発的な意思があった。そこから始まるから、「学び」が効果的に血肉化するのだろう。

そして、自主的な「学び」を保障するためには、用途を固定しすぎない自由な空間が不可欠である。和室の畳と襖による融通無碍な室内空間は、まさしく用途を固定しない自由な空間として最適である。

近世日本の教育遺産群の資産の多様さは、日本の近世における「学び」の姿そのものに内在している多様性がそのもととなっているのではないだろうか。このように考えると、資産名の「教育遺産」という言葉自体があまり適切ではないような気がしてくる。つまり、ここで重要なのは「教育」ではなく「学び」あるいは「学習」なのだとすると、資産名称は「教育遺産」ではなく、たとえば「学習遺産」ではないか。英語で表現すると、「education」ではなく、「learning」ということになる。

ここでもう一度、シリアル・ノミネーションの二つの方向を見直すことには意味があると思う。つまり、シリアル・ノミネーションを構成する個々の資産の集め方には、ふたつの異なった戦略がある。ひとつは、傾向が似た構成資産を糾合するというやり方である。韓国の「書院」はまさにこのスタイルをとっている。

対してもうひとつのあり方は、構成要素がそれぞれ異なっており、語られる顕著な普遍的価値の物語のなかでそれぞれが固有の役割を担う、というものである。近世日本の教育遺産群はこちらの方向を取ることになる。

だとすると、「近世日本の教育遺産群」あるいは「近世日本の学習遺産群」は、近世日本の多様な「学び」のさまざまな側面を見せてくれる資産構成にこそ価値があるということになる。そうした論理を詰めていくなかで、近世から近代につながる自由で闊達な「学び」の姿を、少しでも私たち自身が深めることができるとするならば、そのことがもたらしてくれる果実はことのほか大きいと思える。

註

1 京都を中心とした従来型の日本文化とは異なるもの。南西日本の文化を代表するものとしてはすでにグスクが世界遺産となっていた。本来ならば、アイヌ文化が挙げられるべきなのだが、この時点では適切な候補資産がないと判断された。

2 文化庁のウェブサイトに全文が公開されている。

3 文化庁のウェブサイト「世界遺産暫定一覧表候補の文化資産」に別紙8の全文が公開されている。

4『近世日本の教育遺産群―世界遺産暫定一覧表記載資産候補提案書』教育遺産世界遺産登録推進協議会、二〇二〇年、緒言、iii頁

5 同、76頁

6 主として、世界遺産の推薦書本文（二〇一八年）とそれに対するイコモスの評価書（二〇一九年）を基にしている。

岩槻邦男 いわつき・くにお
1934年兵庫県生まれ。兵庫県立人と自然の博物館名誉館長。日本植物学会会長、国際植物園連合会長、日本ユネスコ国内委員などを歴任。94年日本学士院エジンバラ公賞受賞。2007年文化功労者。16年コスモス国際賞受賞。著書に『生命系』(岩波書店)、『文明が育てた植物たち』(東大出版会)など。

松浦晃一郎 まつうら・こういちろう
1937年山口県出身。外務省入省後、経済協力局長、北米局長、外務審議官を経て94年より駐仏大使。98年世界遺産委員会議長、99年にアジア初となる第8代ユネスコ事務局長に就任。著書に『世界遺産:ユネスコ事務局長は訴える』(講談社)、『アジアから初のユネスコ事務局長』(日本経済新聞出版)など。

五十嵐敬喜 いがらし・たかよし
1944年山形県生まれ。法政大学名誉教授、日本景観学会前会長、弁護士、元内閣官房参与。「美しい都市」をキーワードに、住民本位の都市計画のありかたを提唱。神奈川県真鶴町の「美の条例」制定など、全国の自治体や住民運動を支援する。著書に『世界遺産ユネスコ精神 平泉・鎌倉・四国遍路』(編著、公人の友社)など。

西村幸夫 にしむら・ゆきお
1952年福岡県生まれ。國學院大学教授。東京大学教授、同副学長などを経て現職。日本イコモス国内委員会前委員長。専門は都市計画。著書に『都市から学んだ10のこと』(学芸出版社)、『西村幸夫　文化・観光論ノート』(鹿島出版会)、『県都物語』(有斐閣)、『世界文化遺産の思想』(共著、東大出版会)など。

橋本昭彦 はしもと・あきひこ
1959年大阪府生まれ。国立教育政策研究所総括研究官、足利市世界遺産検討会議座長。専門は比較教育史。中世から現代にかけての学校の変容について探求している。著書に『江戸幕府試験制度史の研究』(風間書房)など。

大石 学 おおいし・まなぶ
1953年東京都生まれ。独立行政法人日本芸術文化振興会監事、東京学芸大学名誉教授。専門は日本近世史。NHK大河ドラマをはじめ、テレビ、映画、マンガなど、歴史作品の時代考証で知られる。著書に『江戸の教育力』(東京学芸大学出版会)など。

江面嗣人 えづら・つぐと
1951年東京都生まれ。岡山理科大学建築歴史文化研究センター長・特担教授。文化庁主任文化財調査官を経て現職。専門は日本建築史、文化財修復、町並み保存。著書に『近代の住宅建築』(至文堂)、『復興のエンジンとしての観光』(共著、創成社)など。

藤尾隆志 ふじお・たかし
1976年兵庫県生まれ。水戸市教育委員会歴史文化財課世界遺産推進室世界遺産係長。世界遺産を担当。専門は日本近世史。

久保賢史 くぼ・けんじ
1960年栃木県生まれ。足利市教育委員会文化課文化財保護・世界遺産推進担当主幹。専門は平安時代文化史。

新井一史 あらい・かづちか
1979年岡山県生まれ。備前市教育委員会文化振興課学芸員。専門は日本中世史。

石井 啓 いしい・けい
1962年岡山県生まれ。備前市教育委員会文化振興課参事。専門は考古学。

大西基久 おおにし・もとひさ
1978年岡山県生まれ。備前市教育委員会文化振興課文化財係長。

渡邉隆行 わたなべ・たかゆき
1973年福岡県生まれ。日田市教育委員会咸宜園教育研究センター研究・啓発係主幹(総括)。運営・公開を担当。専門は日本考古学。

企画協力
教育遺産世界遺産登録推進協議会
（水戸市、足利市、備前市、日田市）

写真提供
教育遺産世界遺産登録推進協議会：表紙［閑谷学校，足利学校，咸宜園］；裏表紙［足利学校，偕楽園，閑谷学校］；p. 5; p. 8; p. 9; p. 12; p. 13; p. 16; p. 32［上］；p. 52; p. 84［上］；p. 87; p. 92［上］；p. 98; p. 102［上］；p. 106; p. 108［上下］；p. 110［下］；p. 113; p. 117; p. 118; p. 121; p. 122; p. 128; p. 133; p. 145［下］；p. 152; p. 153; p. 156; p. 157［下］；p. 159
日田市観光協会：裏表紙［豆田町］；p. 5［豆田町］；p. 147［上］
川口武彦：表紙［弘道館］；p. 16［有備館］；p. 102［下］；p. 105［中下］；p. 110［上中］；p. 157［上］
三富勝夫：p. 102［中］；p. 105［上］；p. 108［中］

編集協力
戸矢晃一、真下晶子

多様な学びのかたち
近世日本の教育遺産群を世界遺産に

2021年3月16日　初版第一刷発行

編著者：五十嵐敬喜、岩槻邦男、西村幸夫、松浦晃一郎

発行者：藤元由記子
発行所：株式会社ブックエンド
〒101-0021
東京都千代田区外神田6-11-14 アーツ千代田3331
Tel. 03-6806-0458　Fax. 03-6806-0459
http://www.bookend.co.jp

ブックデザイン：折原 滋（O design）
印刷・製本：シナノパブリッシングプレス

Printed in Japan
ISBN978-4-907083-68-7